LE MONDE REGORGE D'HOMMES MARIÉS

Guy Saint-Jean Éditeur
3440, boul. Industriel Laval (Québec) Canada H7L 4R9
450 663-1777 • info@saint-jeanediteur.com • www.saint-jeanediteur.com

....

Données de catalogage avant publication disponibles à Bibliothèque et Archives nationales du Québec et à Bibliothèque et Archives Canada.

....

Nous reconnaissons l'aide financière du gouvernement du Canada par l'entremise du Fonds du livre du Canada (FLC) ainsi que celle de la SODEC pour nos activités d'édition.

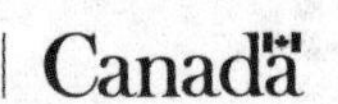

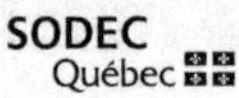

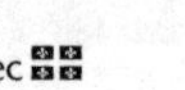

Conseil des Arts du Canada
Canada Council for the Arts

Gouvernement du Québec – Programme de crédit d'impôt pour l'édition de livres – Gestion SODEC

Publié initialement en 1968 en langue anglaise (Grande-Bretagne) sous le titre
The World is Full of Married Men par W.H. Allen & Co. Ltd.

Conception graphique de la couverture : Olivier Lasser
Mise en page : Olivier Lasser et Amélie Barrette
Traduction : Élisa-Line Montigny
Révision : Lydia Dufresne
Correction d'épreuves : Audrey Faille
Photo de la page couverture : iStock/Yuri_Arcurs + depositphotos/SongPixels

Dépôt légal – Bibliothèque et Archives nationales du Québec, Bibliothèque et Archives Canada, 2016
ISBN : 978-2-89758-168-8
ISBN EPUB : 978-2-89758-169-5
ISBN PDF : 978-2-89758-170-1

Imprimé au Canada
1re impression, septembre 2016

ASSOCIATION NATIONALE DES ÉDITEURS DE LIVRES

Guy Saint-Jean Éditeur est membre de
l'Association nationale des éditeurs de livres (ANEL).

JACKIE COLLINS

LE MONDE REGORGE D'HOMMES MARIÉS

ROMAN

Traduit de l'anglais
par Élisa-Line Montigny

Pour Elsa.
Avec tout mon amour.

Chapitre 1

— À quinze ans, j'étais une beauté fatale, f-a-t-a-l-e ! Ma chère mère était terrifiée à l'idée de me laisser sortir seule ; elle était convaincue que je tomberais enceinte ou quelque chose de bête comme ça.

L'interlocutrice était Claudia Parker. La personne qui l'écoutait était David Cooper. Claudia était au lit. C'était une très belle fille, parfaitement consciente de ses charmes. David le savait aussi, donc tout le monde était heureux. De longs cheveux blond cendré lustrés encadraient son visage. Sa longue frange frôlait ses sourcils et mettait en valeur ses immenses yeux verts en amande. Le visage, agrémenté d'un petit nez droit et de lèvres pulpeuses à souhait, était parfait. Elle ne portait ni maquillage ni vêtements. Seul un léger drap de satin la couvrait.

David était assis au pied du lit. Il avait quarante ans et il les paraissait. Il avait des cheveux noirs légèrement bouclés et un visage marqué de quelques pattes d'oie et rides ici et là. Sur son nez plutôt proéminent reposaient d'épaisses lunettes en écaille. C'était un homme d'allure virile dont le succès auprès du sexe opposé ne se démentait pas.

— J'ai donc décidé un jour de quitter la maison, poursuivit Claudia. La vie y était vraiment lamentable. Un soir, je suis partie en catimini et je ne suis jamais revenue. En fait, j'ai rencontré un merveilleux garçon, un acteur, qui m'a emmenée à Londres. J'y suis depuis.

Elle soupira et se mit à se trémousser sous les draps.

— Tu as une cigarette, mon chéri ?

David sortit un paquet de cigarettes à bouts filtres de la poche de son peignoir et lui en tendit une. Elle l'alluma et en tira une longue bouffée.

— Tu veux en savoir davantage sur mon passé scabreux ?

— Je veux tout savoir à ton sujet.

Elle sourit.

— Tu es un ange. Et tu n'es pas terne du tout. À première vue, je croyais que tu serais ennuyeux comme la pluie. Oh, que j'avais tort ! Je suis folle de toi !

Elle glissa sur le lit vers lui. Le drap resta derrière elle pendant qu'elle nouait ses bras autour de son cou et lui mordillait l'oreille. Elle avait un corps de déesse.

Il la repoussa sur le lit.

— As-tu envie de moi, mon lapin ? lui susurra-t-elle à l'oreille. As-tu très, très envie de moi ?

Il émit un grognement pour signaler que oui. Elle se libéra subitement de l'emprise de David, sauta du lit et courut jusqu'à la porte.

— Tu es incroyable, dit-elle, mais pas maintenant, mon amour. On pourra recommencer bientôt, mais pour l'instant, je dois me reposer un peu.

Elle gloussa.

— Je vais d'abord prendre une douche. Nous pourrions ensuite sortir souper et... revenir ici et baiser toute la nuit !

Elle ouvrit la porte de la salle de bain et la referma derrière elle. David entendit l'eau couler.

Il se remémora sa première rencontre avec Claudia. Était-ce possible qu'ils ne se connaissent que depuis trois semaines ? La journée avait été particulièrement éprouvante au bureau. De plus, sa femme, Linda, ne cessait de le presser au sujet des heures supplémentaires qu'il consacrait à son travail et du fait qu'elle ne le voyait plus. Il était tout près de dix-huit heures. Il s'apprêtait à partir lorsque Phillip Abbottson fit irruption dans son bureau.

— David, dit-il, aurais-tu quelques minutes pour passer au studio ? On a besoin que tu tranches. Nous avons deux candidates pour le produit Beauty Maid et elles sont ex æquo ; on n'arrive pas à décider.

À contrecœur, David suivit Phillip jusqu'au studio du rez-de-chaussée de l'immense édifice de l'agence de publicité Cooper-Taylor. La propriété appartenait à R. P. Cooper, l'oncle de David, qui avait deux fils, et Sanford Taylor, qui avait un gendre, mais pas de fils. David se classait donc au sixième rang en fait d'importance. Dans une entreprise d'une telle envergure, ce n'était pas rien, mais aux yeux de David, cela était insuffisant. Il était responsable du volet télévision de l'entreprise et étant donné que les publicités du savon Beauty Maid allaient être diffusées très fréquemment au canal 9, il était important de choisir le bon visage pour le produit.

Aussitôt qu'ils entrèrent dans le studio, David la remarqua. Vêtue d'un peignoir blanc en tissu éponge, elle était confortablement installée sur une chaise en toile. Ses cheveux étaient ramassés en un chignon sur le dessus de sa tête et elle croquait une pomme. L'autre fille fut son prochain point de mire. Elle était presque trop jolie, à collet monté et d'allure chaste. Or, sa silhouette faisait mentir son visage. Elle avait une énorme poitrine dont le volume était amplifié par le maillot couleur peau qu'elle portait.

— Quels seins! marmonna Phillip.

— Ça t'arrive de penser à autre chose? dit David.

Phillip exigea le silence dans le petit studio et fit signe à la jolie fille d'avancer. Elle se dirigea vers la petite scène où se trouvait une fausse salle de bain. Toujours vêtue de son maillot couleur chair, elle grimpa gracieusement dans un grand bain rond en marbre, et un accessoiriste se précipita vers elle pour couvrir de bulles ses courbes généreuses. Quelqu'un d'autre lui mit un gros pain de savon entre les mains. Phillip cria:

— On tourne!

Pendant que les caméras filmaient, David regardait la scène depuis un petit écran en circuit fermé. La jeune fille fit un grand sourire à la caméra.

— Je suis une Beauty Maid, gazouilla-t-elle.

Elle fit mousser le savon entre ses mains et, d'un geste sensuel, s'en enduit un bras, et ensuite l'autre.

— Beauty Maid a été conçu pour moi. Il est tellement crémeux, onctueux, désirable.

Sortant une longue jambe des bulles, elle la savonna également.

— Essayez-le et vous aussi pourrez être une Beauty Maid!

Elle sourit à nouveau à la caméra, se tournant légèrement pour bien mettre sa poitrine en valeur.

— Coupez! cria Phillip. Au tour de mademoiselle Parker.

David se tourna pour regarder Claudia changer de place avec l'autre fille. Elle avait une grâce féline qui lui était propre. Son timbre de voix était chaud et sexy pendant qu'elle lisait ses lignes. Lorsqu'elle eut terminé, elle enfila nonchalamment son peignoir et retourna s'asseoir. La jolie fille continuait de se balader sur la scène.

— La fille Parker, dit David à Phillip. Sans conteste.

Alors qu'elle quittait le plateau, Claudia remarqua qu'elle avait attiré le regard de David. Elle lui sourit. Il sentit un soupçon de promesse dans ce sourire. Il retourna à son bureau, recueillit quelques documents, appela Linda pour lui dire qu'il rentrait à la maison pour le souper et s'en alla. Claudia se trouvait à l'extérieur de l'édifice.

— Salut, dit-elle. Le monde est petit.

Ils bavardèrent pendant quelques minutes à propos des auditions, du savon Beauty Maid, de la météo... et David l'invita à manger. Claudia répondit que c'était une idée géniale.

Ils allèrent dans un petit restaurant italien dans Chelsea où David savait qu'il ne risquait pas d'être vu par aucun de ses amis ou ceux de Linda. Il appela cette dernière pour lui expliquer qu'il n'allait pas rentrer après tout. Elle sembla contrariée, mais compréhensive. Claudia appela son petit ami et annula leur rendez-vous. Ils mangèrent des cannelloni, bavardèrent en se tenant la main... C'est comme cela que tout avait commencé.

Claudia revint soudainement de la salle de bain.

— Chéri, que fais-tu depuis tantôt? lui demanda-t-elle.

David la tira vers lui sur le lit.

— Je pensais à toi et à la façon dont tu m'as dragué.

— C'est faux! protesta-t-elle. Tu n'es qu'un vieux cochon qui a eu le béguin pour moi aussitôt que tu m'as vue dans le bain!

Elle avait enfilé à nouveau son peignoir blanc en tissu éponge. David glissa sa main en dessous. Elle frissonna. La sonnerie du téléphone retentit.

— Sauvée par la cloche! gloussa-t-elle en roulant jusqu'à l'appareil pour répondre; c'était son agent.

David s'habilla lentement, ne la quittant pas des yeux. Elle parlait avec animation, faisant une pause de temps en temps pour lui tirer un petit bout de langue rose. Enfin, elle raccrocha.

— Oh, tu es habillé, dit-elle d'un ton accusateur. J'ai des nouvelles tout simplement formidables. Demain, j'ai une entrevue avec Conrad Lee. Il est en ville pour chercher un nouveau visage pour tenir la vedette de son prochain film à propos de la Vierge Marie ou quelque chose du genre. En tout cas, je le rencontre à dix-huit heures à sa suite du Plaza Carlton. C'est excitant, non ?

David n'était pas content.

— Pourquoi dois-tu le rencontrer en soirée ? Pourquoi pas pendant le jour ?

— Chéri, ne sois pas ridicule. Mon Dieu, s'il cherche une baise, il peut se l'offrir aussi bien le matin qu'à tout autre moment de la journée.

Irritée, elle se dirigea droit vers la coiffeuse où elle se mit à appliquer méticuleusement son maquillage.

— D'accord. Désolé de m'être exprimé ainsi. Je ne comprends tout simplement pas pourquoi tu tiens tant à ta stupide carrière. Pourquoi ne pas plutôt...

— Pourquoi ne pas plutôt quoi ? l'interrompit-elle froidement. Tout laisser tomber et t'épouser ? Et on fait quoi avec ta femme et tes enfants, et tes autres innombrables obligations familiales ?

Il ne répondit pas.

— Écoute, mon chéri. Je ne te casse pas les pieds à propos de quoi que ce soit, alors oublie ça, lui dit-elle d'un ton doux. Tu ne m'appartiens pas et je ne t'appartiens pas non plus, et c'est très bien ainsi.

Elle appliqua du brillant à lèvres d'un geste théâtral.

— Je meurs de faim. Si on allait manger ?

Ils allèrent à leur petit restaurant italien habituel. La bonne humeur régna à nouveau.

— Le dimanche est une journée tellement morne, affirma Claudia. C'est une journée qui languit.

Elle but son vin rouge avec grand plaisir en adressant un sourire au petit propriétaire rondelet, qui le lui rendit d'un air ravi.

— Savais-tu que tout le monde se croit beau ? Eh oui. Ils se regardent dans le miroir, voient deux yeux, un nez et une bouche et se disent « Wow, quel beau morceau ! »

Son rire ensoleilla le restaurant, et David rit avec elle. Elle était tellement belle, tellement pleine de vie. Il n'en était pas à sa première aventure extraconjugale, mais c'était différent cette fois-ci. Pour la première fois, il aurait aimé être un homme libre.

— J'ai déjà rencontré un homme, dit Claudia, qui m'offrait un yacht dans le sud de la France, une villa à Cuba, beaucoup de bijoux et tout le tralala. Du jour au lendemain, il a disparu. J'ai entendu dire plus tard que c'était un espion et qu'il avait été abattu. La vie est drôle, tu ne trouves pas ?

Après le repas, ils parcourent en voiture la partie ouest de la ville à la recherche d'un film à voir.

— Regarde-moi tous ces hurluberlus, s'exclama Claudia, regardant un impressionnant cortège de gens se dirigeant vers Trafalgar Square. Peux-tu t'imaginer passer tout ton temps libre à courir dans tous les sens, à faire le tour des ambassades et t'asseoir par terre partout ? Et tous les gars ont une barbe ; je me demande bien pourquoi.

Elle se blottit contre David.

— Laissons tomber le film. Retournons plutôt baiser chez moi. J'ai encore envie de m'envoyer en l'air, toi ?

Qui était-il pour la contredire ?

Chapitre 2

« À bas la bombe » pouvait-on lire clairement sur la bannière accrochée au dos d'une femme trapue.

« Partout la paix » annonçait une grande affiche brandie par un jeune barbu.

« Arrêtons les armes nucléaires » indiquait un minable morceau de carton qu'une femme, agrippant deux gamins dépenaillés, tenait vaillamment.

Ce groupe de gens – ainsi que des centaines d'autres – faisait lentement son entrée sur Trafalgar Square. Plusieurs étaient arrivés avant eux. Une foule s'était réunie autour de la colonne Nelson et les fontaines.

Linda Cooper s'y trouvait déjà. Elle était prise en sandwich entre un groupe fervent de jeunes femmes aux cheveux longs en broussaille et aux vêtements d'allure crasseuse, et un homme à lunettes qui ne cessait de parler tout seul.

Linda était une femme attrayante d'une trentaine d'années. Ses cheveux brun-roux courts étaient recouverts partiellement par un foulard en mousseline. Elle portait un costume Chanel couleur crème qui faisait tache avec son entourage. On pouvait facilement s'imaginer qu'une dizaine d'années plus tôt, elle avait été très jolie. Or, sa joliesse avait été remplacée par une expression de résignation. Elle affichait quelques ridules, une certaine fatigue et un peu trop de maquillage, mais l'aspect général était agréable.

Elle balaya du regard les alentours. Il lui semblait étrange de se trouver là, au cœur de cette foule, sans David. Il lui arrivait rarement de faire quelque chose ou d'aller quelque part sans lui. Mais depuis quelque temps, il partait pour de longs voyages d'affaires, ses réunions se terminaient tard, et son travail occupait presque tout son temps, au détriment de tout le reste. Elle soupira. Elle s'était retrouvée à ce rassemblement purement par hasard. David était en voyage et, soudainement, elle avait senti le besoin de sortir de la maison et de faire quelque chose de différent. Les enfants étaient à la campagne avec ses parents pour la fin de semaine. Elle avait failli les accompagner, mais, pensant que David serait à la maison, elle avait décidé de ne pas y aller. À la dernière minute, il avait dû partir à toute vitesse, comme d'habitude. Se retrouvant seule dans leur résidence, ne voulant pas passer la journée à ne rien faire, elle avait appelé Monica et Jack qui l'avaient invitée à dîner. Mais cela avait été une erreur. Ils étaient en fait les amis de David de l'époque où il était célibataire. Elle avait toujours ressenti une certaine gaieté forcée de leur part se résumant à « David a finalement décidé de t'épouser. Il aurait pu faire pire. » Après une heure et demie, elle s'excusa sous prétexte qu'elle devait retourner à la maison, car il y avait tant à faire avant l'arrivée des enfants. Quoi au juste, elle n'en avait aucune idée. Voyant que Monica et Jack ne s'opposaient pas, elle partit.

C'est en rentrant à la maison en voiture qu'elle remarqua les marcheurs, les bannières et les foules. D'un geste impulsif, elle gara sa Mini dans une rue latérale et se fraya un chemin vers Trafalgar Square, qui semblait être le point de rassemblement.

Il s'agissait d'un enjeu de société qui occupait souvent son esprit et auquel elle souhaitait secrètement participer. Protester était la moindre des choses qu'une personne pouvait faire, si ce n'était pas pour soi, au moins pour ses propres enfants. La fin d'une ère se profilait à l'horizon. C'était l'année 1969 et les gens s'insurgeaient. Elle voulait être l'un d'eux.

L'homme aux lunettes à côté d'elle regarda soudainement sa montre.

— Il est quinze heures, annonça-t-il fébrilement.

Soudainement, la foule se mit à avancer en hurlant. De petits groupes de gens se détachaient de la masse et se précipitaient vers la route pour prendre place, assis, devant la circulation automobile. Coincée au cœur de la foule, Linda fut portée vers l'avant, se retrouvant près du bord de la chaussée. De nombreux policiers poussaient sur des manifestants, en traînant certains et en soulevant d'autres de la route. Aussitôt qu'une personne était enlevée, une autre prenait immédiatement sa place. La foule était en liesse, scandant divers slogans et huant les policiers pendant que le gros fourgon bleu se remplissait graduellement de protestataires que d'autres, imperturbables, venaient remplacer.

Linda se sentait merveilleusement bien.

— À bas la bombe ! cria-t-elle.

Elle protestait contre la bombe. Elle faisait réellement partie d'un rassemblement sur des questions d'intérêt mondial. Elle contribuait dans une toute petite mesure à protéger l'avenir de ses enfants. C'était une expérience palpitante.

— À bas la bombe ! entonnèrent les gens près d'elle.

— Par ici, ma chère.

Un jeune homme aux cheveux foncés lui saisit le bras et l'emmena avec lui sur la route. Ils s'assirent devant un taxi qui approchait.

— Complètement dingues, tous ! grogna le chauffeur.

Linda ressentit un vif sentiment d'euphorie qui s'évanouit lorsqu'un gendarme au teint rosé l'agrippa sous les bras et la traîna vers le trottoir. Alors qu'elle se débattait, un autre policier la saisit par les jambes. Pendant qu'elle se faisait soulever de terre, sa jupe grimpa au-dessus de ses genoux, donnant lieu à un bref moment d'impudeur. Les policiers la laissèrent choir brusquement sur la chaussée.

Des mains charitables l'aidèrent à se relever. Elle constata alors qu'elle avait perdu ses chaussures et que, sans le savoir, elle s'était coupée au bras. Son foulard s'étant volatilisé, ses cheveux retombaient autour de son visage.

— Tu as une mine affreuse.

C'était le jeune homme aux cheveux foncés qui lui parlait.

— Tu veux faire une autre tentative ?

Une fille l'agrippa par le bras.

— Ah, non, Paul, dit-elle. Partons. On ne veut pas être coincés encore une fois sur la rue Bow.

Elle était petite, avait de longs cheveux blond pâle et était très jeune. Paul fit la sourde oreille.

— Écoute, dit-il à Linda, il vaudrait mieux que tu viennes avec nous. Un copain habite tout près ; on pourrait essayer de te trouver des chaussures.

— Eh bien…, commença Linda.

— Ne traînons pas, Paul, dit la jeune fille, courroucée.

— D'accord, déclara Linda.

Et les trois comparses commencèrent à se frayer un chemin vers l'extérieur du cercle formé par la foule.

Paul prit Linda par le bras et la guida à travers la masse. Sa copine aux cheveux ternes traînait de la jambe derrière eux.

— Je m'appelle Paul Bedford. Et toi ?

Linda lui jeta un regard. Il était grand et avait des yeux gris ardoise. Il devait avoir environ vingt-deux ans. Elle le trouvait dangereusement séduisant.

— Madame Cooper, dit-elle avec aplomb.

À la fois amusé et perplexe, il la regarda d'un drôle d'air.

— Madame Cooper... Ah, bon.

La chaussée sous ses pieds en bas de nylon était froide et dure. Elle aurait préféré être chez elle, en sécurité, plutôt qu'à courir sur Trafalgar Square en compagnie d'un étrange jeune homme qu'elle ne connaissait que depuis dix minutes.

— Ma voiture est garée tout près, dit-elle. Je crois qu'il serait préférable que j'y retourne. Je suis sûre qu'il y a de vieilles chaussures dans le coffre.

Mais Paul était déjà en train de lui faire traverser la route vers la rue Newport.

— Nous y voilà, dit-il en frappant sur une vieille porte jaune. Entre au moins pour que je puisse panser ton bras. Je t'emmènerai ensuite à ta voiture.

La petite amie faisait la moue.

— D'accord, dit Linda.

Une fille blême, sans maquillage, aux cheveux noirs ouvrit finalement la porte. Elle portait une robe de chambre délabrée de style chinois en brocart bleu et or, et des pantoufles en fourrure blanche qui avaient connu des jours meilleurs.

— Salut, mon chou, dit-elle à Paul avec un sourire. Et comment va la petite Mel ? poursuivit-elle en s'adressant à la copine de Paul. Montez !

Ils la suivirent dans l'escalier étroit menant à une immense pièce aux murs peints en noir. Il y avait un grand lit dans un coin, beaucoup de livres et de coussins éparpillés un peu partout. Un vinyle de Miles Davis jouait à plein volume sur le tourne-disque. L'ameublement semblait se limiter à cela.

— Où est passé ton mari ? demanda Paul.

— Il est allé se joindre à la foule, répondit la fille.

— On a besoin de prendre un verre, dit Paul. On est restés coincés au milieu de l'action. Je te présente madame Cooper. Elle a été coupée au bras et a perdu ses chaussures. Elle s'est retrouvée au cœur de la mêlée.

La fille sourit.

— Tu réussis toujours à impliquer des gens. Assoyez-vous ; je vais aller vous chercher une bière. On n'a rien d'autre.

— Viens, dit Paul à Linda. On va soigner ton bras.

Il l'emmena dans la salle de bain, d'une blancheur étonnamment immaculée et stérile.

— Où donc est monsieur Cooper ? demanda-t-il.

Elle lui jeta un regard froid.

— Il est en voyages d'affaires.

— Quel est ton prénom, madame Cooper ?

Elle hésita un moment.

— Linda. Pourquoi ?

— Je voulais juste savoir.

Ils se regardèrent pendant un bon moment avant que Linda, nerveuse, tourne son regard vers le plancher. C'est ridicule, se dit-elle. Qu'est-ce que je fais, ici, avec ce garçon ? Qu'est-ce que David dirait de cela ? Je dois partir.

Paul sortit un diachylon de la boîte qu'ils avaient trouvée et le colla sur la coupure de Linda.

— C'était ta première manif ?

— Oui, répondit-elle. Écoute, je dois absolument retourner à ma voiture. C'était extrêmement gentil de t'être donné tout ce mal pour moi, mais des gens m'attendent à la maison et ils vont s'inquiéter si je suis en retard.

— Très bien, dit-il. Je vais t'emmener. Il serait insensé que tu te promènes dans Londres les pieds nus.

Ils retournèrent à la grande pièce noire. Mélanie aux cheveux filasse y était assise, serrant une canette de bière. Elle sauta de son siège lorsque Paul entra et se précipita vers lui. Linda la trouvait plutôt quelconque et beaucoup trop mince. Et que dire de cette affreuse chevelure !

— Prends une bière, offrit Mélanie d'une voix geignarde.

— Non ; on s'en va, dit Paul. Je vais revenir bientôt. Attends-moi ici.

Elle voulait bien sûr s'opposer, mais n'osa pas. Paul embrassa la propriétaire du logement.

— Je vais revenir tantôt, lui dit-il.

Linda dit au revoir et ils s'en allèrent. Dans la rue, il prit à nouveau Linda par le bras, mais elle se libéra en précisant qu'elle n'aimait pas qu'on la tienne ainsi.

— Qu'est-ce qui te plaît, alors ?

Elle ne répondit pas.

Ils marchèrent en silence jusqu'à sa voiture. Elle se sentait mal à l'aise et inélégante sans chaussures. De plus, la chaussée était froide et dure. Elle aurait préféré se trouver au chaud chez elle. Une fois qu'ils furent arrivés à sa voiture, Paul l'aida à y monter.

— Où habites-tu ? lui demanda-t-il poliment.

— À Finchley. Nous y avons une maison.

— Eh bien, nous sommes voisins. J'habite à Hampstead.

Debout sur le pavé, il était appuyé contre la portière du conducteur.

— Ça t'ennuierait de m'y déposer ?

— Je croyais que tu devais retourner auprès de ta copine ? dit-elle nerveusement.

Elle ne voulait que s'en aller et le laisser là. Elle savait à quel point il l'attirait et elle se sentait très vulnérable.

— Ça va aller. Mel peut rentrer chez elle par ses propres moyens ; c'est ce qu'elle fait habituellement de toute façon.

Il fit le tour de la voiture et prit place dans le siège du passager. C'est le moment ou jamais, pensa-t-elle. Soit je lui dis de sortir, soit j'accepte le fait qu'il s'intéresse à moi et je lui fais savoir qu'il m'intéresse également. Elle sentait son regard sur elle. Elle démarra la voiture.

Linda circula adroitement à travers la circulation. Paul resta silencieux, ce qui contribuait à la rendre encore plus consciente de sa présence. Elle brisa finalement le silence.

— Ta copine risque d'être furieuse que tu ne retournes pas auprès d'elle comme tu lui as dit que tu le ferais.

— Ça n'a pas d'importance.

Le silence s'installa à nouveau. Elle décida que lorsqu'ils auraient atteint Hampstead, elle arrêterait la voiture, attendrait qu'il sorte et s'éloignerait rapidement en lui faisant un signe de la main. Elle ne lui donnerait pas la chance de lui proposer de la revoir. Son instinct lui disait qu'il le voudrait.

— Je t'ai tout de suite remarquée, dit-il.

— Pardon ? répliqua-t-elle, surprise.

— J'ai dit que je t'avais tout de suite remarquée, répéta-t-il, dans la foule. Tu n'avais pas l'air dans ton assiette, un peu perdue. Tu voulais en faire partie, mais ne savais pas vraiment comment t'y prendre. Je t'ai donc prise par le bras et t'ai attirée vers la chaussée et, à partir de ce moment-là, tu t'es oubliée un peu, tu comprends ce que je veux dire ?

— Je ne comprends pas ce que tu dis, rétorqua-t-elle sur la défensive.

— Voyons, tu sais exactement ce que je veux dire.

Il poussa un bâillement impoli.

— Où est passé ton homme ? Où sont tes enfants ? T'as des enfants, pas vrai ?

— Oui. Comment l'as-tu deviné ? dit-elle, méfiante.

— C'est facile. Je peux dresser ton portrait en moins de deux. Mariée depuis environ dix ans, jolie petite maison, mari souvent absent, enfants qui grandissent et vous laissent derrière. C'est bien ça ?

Elle ressentit aussitôt de la colère et le désir d'arrêter la voiture et de dire à ce jeune impoli de sortir. Or, il s'approchait beaucoup de la vérité. Attends, se disait-elle. Quel mal y a-t-il à l'écouter ? Et elle était curieuse de savoir comment il était arrivé à si bien la cerner. Était-elle à ce point déchiffrable ? Elle se força à sourire.

— Tu es certainement très sûr de toi.

— Oui, je le suis. Je le vois dans ton visage, dans ton allure. Tous les moindres détails à ton sujet.

— Nous voilà à Hampstead, annonça-t-elle en butant sa petite voiture contre le bord du trottoir. Merci pour le bilan de ma situation ; cela t'a sûrement procuré beaucoup de plaisir. David aurait trouvé cela fort amusant. Bye-bye.

Regardant droit devant elle, elle attendit qu'il sorte de la voiture. Il ne bougea pas.

— Est-ce que je peux te revoir ? lui dit-il.

Elle se tourna pour le regarder. Il perça ses yeux du regard.

— Je ne comprends pas. Tu t'amuses à décortiquer ma vie, à me tailler en pièces et tu me demandes si tu peux me revoir ? Non, tu ne peux pas. Je suis amoureuse de mon mari. J'ai deux magnifiques enfants et je mène une très belle vie, merci ! Je te trouve arrogant et grossier. Sors, s'il te plaît, de ma voiture et va-t'en.

— J'aimerais te revoir. Je crois qu'il te faut quelqu'un comme moi.

Il ouvrit la porte et sortit.

— Si jamais tu changes d'avis... Mon numéro est dans l'annuaire téléphonique.

Il se retourna et s'en alla. Elle le regarda s'éloigner. Petite canaille, songea-t-elle avec colère. Il est si mince ; il ne mange probablement pas. Si jeune, mais si plein d'assurance. J'aimerais bien coucher avec lui.

Elle interrompit abruptement le fil de ses pensées. J'aimerais faire quoi ? se demanda-t-elle, incrédule. Elle avait toujours associé le sexe à David. Vierge au moment de son mariage, elle n'avait jamais eu d'aventure. Et elle avait maintenant cette pensée ? Bien sûr, avant de se marier, elle était sortie avec plusieurs garçons, qu'elle avait embrassés, mais les choses n'avaient jamais été plus loin. David est un merveilleux mari et amant, songea-t-elle. Mais il lui faisait rarement l'amour depuis quelque temps. Lorsque cela arrivait, l'acte durait une dizaine de minutes pendant lesquelles elle n'éprouvait pas vraiment de plaisir. Après, David se tournait et tombait aussitôt endormi en ronflant. Elle restait éveillée pendant longtemps, se remémorant le début de leur mariage, avant l'arrivée des enfants.

Elle soupira et démarra le moteur de la voiture. Il était impossible de remonter le temps.

* * *

La maison était vide. Les chiens étaient avec les enfants, et Ana, leur bonne espagnole qui logeait avec eux, était absente cette journée-là. C'était déprimant. Linda alluma le téléviseur dans la chambre et remarqua qu'il était presque dix-huit heures. David lui avait dit qu'il rentrerait à la maison vers vingt-et-une heures ; elle avait donc trois heures d'attente devant elle. Elle n'avait pas l'intention de regarder la télévision, mais elle voulait entendre des voix humaines autour d'elle. Elle décida de téléphoner à sa mère pour voir si Jane et Stephen se comportaient bien. La voix de sa mère était calme et rassurante.

— Bonjour, Linda, chérie.

— Bonjour maman. Est-ce que tout va bien ?

— Très bien, ma chérie, très bien. Jane est dans le bain et Stephen est ici près de moi. Attends une seconde ; il veut te parler.

Après une pause, Linda entendit la petite voix nerveuse de Stephen. Il avait huit ans.

— Allo, maman. On s'amuse comme des fous ! Mamie a fait plein de gâteaux gluants pour l'heure du thé, et Jane la truie a essayé de les manger tous. Je l'ai poussée en bas de la chaise et elle a commencé à pleurer et…

Il continua à parler des gâteaux pendant encore un bon moment. Puis, la mère de Linda reprit le combiné.

— Papa va te ramener les enfants après le lunch demain. Ils devraient donc arriver vers seize heures. Comment va David ? Avez-vous passé une belle fin de semaine tranquille ensemble ?

— Oui, maman, c'était très tranquille, répliqua Linda tristement. Très bien, alors. On se reparle plus tard cette semaine. Merci encore de vous être occupés des enfants ; embrasse Jane pour moi. Au revoir.

Bon, que faire à présent? Elle était tenaillée par une petite fringale. Elle alla à la cuisine, mais comme elle détestait cuisiner seulement pour elle-même, elle se prépara un sandwich au fromage. Il ne lui restait qu'à aller au lit et à attendre que David rentre.

Le lit, David... Elle fit un lien entre les deux et elle eut une idée. Elle se précipita vers le placard qu'elle ratissa jusqu'à ce qu'elle trouve ce qu'elle cherchait : un soyeux déshabillé noir qu'elle avait acheté à Paris plusieurs années auparavant et qu'elle n'avait jamais eu l'occasion de porter ; il lui avait toujours semblé trop frivole. Elle le mit contre elle et retourna à la cuisine pour le repasser. Tous les magazines pour femmes racontent la même chose, pensa-t-elle, en souriant : faites sortir votre mari de sa stupeur en lui montrant la personne super sexy au charme ravageur que vous êtes vraiment !

Après avoir repassé le déshabillé, elle se fit couler un bon bain chaud auquel elle ajouta des bulles pour bébés de Jane. Pour ne pas faire les choses à moitié, elle ajouta un peu d'eau de Cologne Chanel N° 5. Elle mit de la crème sur son visage, des bigoudis dans ses cheveux, grimpa dans le bain et se détendit.

La sonnerie du téléphone retentit. Enveloppée d'une serviette de bain, laissant des bulles derrière elle, elle se précipita dans la chambre pour répondre.

— Allo.

— Allo, Linda ?

— Oui.

— C'est Paul Bedford.

Il y eut un long silence avant qu'il ne parle à nouveau.

— J'ai retenu « David » et « Finchley » ; je n'ai pas eu de difficulté à te retrouver dans l'annuaire. Écoute, je suis désolé ; je voulais m'excuser pour ce que j'ai dit plus tôt. Je ne voulais pas te contrarier. Est-ce que tu me pardonnes ?

— Il n'y a rien à pardonner, dit-elle sèchement. Ça ne m'a pas dérangée du tout.

Elle fut tentée de dire au revoir et de raccrocher, mais elle attendit sa réponse.

— C'est bien, alors.

Il semblait soulagé.

— Tu sais, quand j'aime bien les gens, quand je les aime vraiment, j'ai tendance à y aller un peu fort. Ce n'est jamais mon intention, mais ça arrive. C'est un peu une action inverse.

Il fit une pause avant de poursuivre :

— Un ami organise une fête chez lui ce soir. Comme il habite près de chez toi, j'ai pensé que tu voudrais peut-être venir.

— Je suis désolée ; je ne peux pas, répondit-elle rapidement.

— Il n'y a rien de mal à essayer. Peut-être une autre fois.

— Maintenant, excuse-moi, j'aimerais retourner à mon bain. Merci d'avoir pensé à moi, ajouta-telle. Au revoir, Paul.

— Au revoir, Linda. Désolé de t'avoir tirée du bain. La fête ne commence pas avant vingt-deux heures. Si jamais tu décides de venir, mon numéro est Hampstead 09911. Salut.

Il raccrocha.

Une fois 0, deux fois 9, deux fois 1. Si facile à retenir. Frissonnant, elle retourna rapidement à la salle de bain. Les bulles étaient disparues et l'eau était tiède lorsqu'elle entra dans la baignoire. L'appel de Paul lui faisait un petit velours; elle se sentait désirable, un sentiment qu'elle ne se souvenait pas d'avoir eu depuis longtemps. Ce soir, les circonstances seraient différentes. Elle ferait en sorte que David se rende compte que les choses entre eux pouvaient et devaient être aussi romantiques qu'elles l'étaient à leurs débuts. Après tout, le fait que deux personnes soient mariées ne signifiait pas que la flamme de leur union devait s'éteindre. Je n'ai que trente-trois ans, se dit-elle. Je suis encore très jeune. En tout cas, je ne suis pas vieille. Elle sortit du bain et examina son corps dans le miroir. Il faudrait que je suive un régime, songea-t-elle. Ses jambes étaient bien galbées, mais ses cuisses étaient un peu trop fortes. Sa taille était fine et ses seins, bien que volumineux, étaient encore fermes.

Elle enfila le déshabillé. Il épousait avantageusement ses courbes. Elle aimait ce qu'elle voyait. Elle appliqua un peu de maquillage et passa un peigne dans ses cheveux. Elle éteignit le téléviseur et alluma la chaîne stéréo. La voix de Sinatra était cent fois mieux qu'un insipide sitcom.

Le décor était planté, la comédienne était prête et il était presque vingt-et-une heures. Un verre de vin ne serait pas de refus, pensa-t-elle. Il y avait une bouteille de rosé dans le réfrigérateur. Elle alla la chercher.

* * *

Il était vingt-deux heures. Le vin avait été bu, Sinatra ne chantait plus. Le déshabillé noir avait été remplacé par quelque chose d'un peu plus chaud. Le téléviseur était rallumé. Maussade, Linda était blottie devant l'écran et regardait un film d'époque.

Elle était un peu ivre. Le vide qui régnait dans la maison commençait à peser lourd. Où était David ? Il avait pourtant dit vingt-et-une heures. S'il allait être retardé, il aurait pu appeler. Il avait peut-être eu un accident de voiture. Peut-être qu'il était grièvement blessé ou même...

La sonnerie du téléphone retentit. Elle entendit d'abord la voix professionnelle de la téléphoniste et ensuite celle de David, de toute évidence, pressé.

— Écoute, je suis coincé avec des gens. J'ai dû conduire de Leeds jusqu'à Manchester et je suis crevé. Je ne prendrai pas le risque de conduire ce soir ; il fait un temps de merde. Je vais partir tôt demain matin et serai à la maison à huit heures.

— Mais David, je t'attendais.

Elle fit un effort pour lui parler sur un ton agréable.

— Tu n'aurais pas pu me le faire savoir plus tôt ? Il est presque vingt-deux heures et tu m'avais promis que tu rentrerais à vingt-et-une heures.

— Je ne peux pas te parler en ce moment. Je t'expliquerai demain.

Elle perdit soudainement son sang-froid.

— Je me fiche de demain. Et moi dans tout ça ? J'ai passé une fin de semaine horrible, je t'ai attendu toute la soirée et tu ne t'es même pas donné la peine de me téléphoner. Si j'avais su, j'aurais au moins pu faire quelque chose comme aller au cinéma. Tu es un égoïste, et je ne peux...

La voix de David était froide, insensible.

— Je suis avec des gens en ce moment. À demain. Bonsoir.

La communication coupa. Elle resta immobile pendant un moment, tentant de contrôler une sensation d'étouffement causée par son sentiment de frustration complète. Il avait raccroché sans même attendre qu'elle lui dise bonsoir.

Elle finit par raccrocher le combiné et le reprit aussitôt pour composer un numéro. Le volume de la sonnerie était très élevé dans son oreille. J'ai trop bu, pensa-t-elle, un peu confuse. Elle entendit quelqu'un dire « allo » et elle répondit « Bonsoir, Paul, c'est Linda Cooper à l'appareil. À propos de cette fête... »

Chapitre 3

Il était quatre heures lorsque David et Claudia arrivèrent à l'appartement de cette dernière. Elle habitait dans une maison transformée à l'arrière de Knightsbridge ; tout y était neuf et moderne. Elle occupait l'appartement du dessus qui avait l'avantage d'avoir un petit jardin-terrasse.

David s'était souvent demandé comment elle réussissait à s'offrir un tel appartement. Il était luxueusement meublé, et Claudia avait un énorme placard rempli de vêtements. Elle était à la fois actrice et mannequin, mais selon ce qu'il savait de ces deux professions, à moins de connaître un très grand succès, cela ne payait pas beaucoup. En tout cas, pas suffisamment pour permettre à Claudia de maintenir le style de vie qu'elle aimait de toute évidence. Il avait retourné le problème dans sa tête maintes fois et n'était pas parvenu à une conclusion satisfaisante. Il s'était dit qu'elle avait peut-être un père riche, bien que cela ne correspondait pas aux quelques fragments qu'il connaissait de son passé.

Claudia lui avait dit qu'elle avait quitté le foyer familial à l'âge de quinze ans, était arrivée à Londres il y avait cinq ans, toute disposée à devenir une vedette du cinéma. Elle avait maintenant vingt ans, elle était très belle et pétillante comme du champagne. Mais elle n'était pas une vedette du cinéma.

Il ne la connaissait que depuis trois semaines, mais l'avait vue autant que douze fois. Elle était toujours libre ; il ne semblait pas y avoir un autre homme dans sa vie. Elle acceptait le fait qu'il était marié et ne l'ennuyait pas avec ça comme d'autres femmes l'auraient sans doute fait. Elle ne lui parlait jamais d'argent. Il avait vu qu'elle avait travaillé à la publicité de Beauty Maid, mais à part cela, elle n'avait pas travaillé du tout.

Il décida qu'il devait en apprendre davantage à son sujet. Elle avait peut-être besoin d'argent, mais cela la gênait de lui en parler ? Il se résolut à aborder le sujet.

Lorsqu'ils entrèrent chez elle, Claudia se dépêcha de faire le lit et de ranger. Les tâches domestiques lui étaient entièrement inconnues. Une femme de ménage passait chaque jour, sauf les fins de semaine.

— Quelle horreur, dit-elle lorsqu'elle arriva à l'évier plein de vaisselle sale.

David la suivit.

— Je vais t'acheter un lave-vaisselle, dit-il en passant ses bras autour de sa taille.

Elle se tourna, en riant.

— Tu blagues, bien sûr. Un lave-vaisselle ! Quel affreux cadeau. Je veux quelque chose de moins « domestique » que ça, merci beaucoup !

— Qu'est-ce que tu veux ? On ira magasiner demain.

— Je veux... Laisse-moi voir : je veux une Ferrari, deux manteaux de vison, beaucoup de diamants, un appartement luxueux à New York et une villa sur la Riviera !

Elle se mit à rire.

— As-tu les moyens de me garder ?

— Je suis sérieux. Est-ce qu'un manteau de vison ferait l'affaire ? Va t'en commander un demain !

Elle le fixa du regard en se pourléchant les lèvres.

— J'adorerais ça. Mais si tu veux m'en offrir un, fais-moi une surprise ; ne me demande pas de le commander moi-même. J'aime les surprises.

Il sourit.

— Entendu, ce sera une surprise.

Il se demanda si le moment était bien choisi pour parler de sa situation financière, mais se ravisa. Plus tard, pendant qu'ils seraient au lit.

— À quelle heure redeviens-tu, Cendrillon, ce soir ? lui demanda-t-elle soudainement.

— Je devrais partir vers vingt heures trente.

Il caressa ses cheveux.

— Mais je peux toujours m'attarder un peu, selon ce que réserve le programme principal.

Elle gloussa et retira son chandail.

— Le programme est sur le point de commencer. La principale attraction devrait être fort intéressante !

* * *

Quelque temps plus tard, David regarda sa montre et constata avec surprise qu'il était beaucoup plus tard que vingt-et-une heures. Claudia dormait à ses côtés. Ses longs cheveux étaient en désordre autour de son visage, son maquillage était défait et estompé. Elle avait l'air très jeune. Ses vêtements étaient dispersés ici et là dans la chambre. Comme si elle sentait son regard sur elle, elle ouvrit les yeux, bâilla, s'étira et émit des sons de contentement.

— Tu es comme un chat, dit-il. Parfois, un petit chaton inoffensif, d'autres fois le chat de gouttière le plus sauvage et le plus crasseux qui soit.

— Ça me plaît. Je me vois en train de répéter tes mots à quelqu'un dans les prochaines années: « Un gars m'a déjà dit "tu es comme un chat, parfois..." »

Il couvrit sa bouche avec sa main.

— Ne dis pas ça; il n'y en aura pas d'autres que moi. Je t'aime et je veux t'épouser.

Il fut lui-même surpris d'entendre ces mots, mais ils avaient été dits et entendus par les deux.

— Étonnant, dit-elle, à quel point il est simple pour les hommes mariés de proposer le mariage. C'est facile à dire pour eux, parce qu'ils se sentent bien à l'aise et en sécurité, et ils savent qu'ils peuvent s'offrir un beau morceau de femme sans risquer de se faire coincer. « Épouse-moi, ma chérie, mais il ne faut surtout pas que ma femme l'apprenne! »

Il était furieux. Bon, d'accord, il ne le voulait pas vraiment. En fait, oui, il le voulait, mais, comme elle l'avait dit, il avait l'assurance que ce n'était pas possible. Par contre, le fait qu'elle l'ait compris le mettait en colère. Comment se faisait-il que les femmes puissent si bien interpréter les propos des hommes?

— Je pourrais obtenir le divorce, proposa-t-il.

— Est-ce que tu vas le faire? riposta-t-elle froidement.

— Je ne sais pas.

Il l'attira vers lui.

— Il n'y a pas que moi et Linda; il faut aussi tenir compte des enfants. Mais je t'aime vraiment et, un jour, lorsque mes enfants seront un peu plus vieux, alors là tout s'arrangera. Entre-temps, je peux prendre soin de toi. Je ne veux pas que tu travailles. Finies les entrevues. Je vais te donner de l'argent.

Elle le fixa avec ses grands yeux verts en amande.

— Je suis ravie de voir que tu as toutes les réponses.

Elle lui caressa le dos; il sentit le désir naître en lui à nouveau. Il suffisait qu'elle le touche pour qu'il la désire.

— Il y a cependant un petit problème: je ne veux pas t'épouser, même si tu étais libre et que nous pouvions nous précipiter au palais de justice, je ne le voudrais pas.

Elle s'écarta de lui et se leva du lit. Debout, toute nue, elle le regarda et poursuivit:

— Je veux faire ce que j'ai envie de faire, lorsque j'en ai envie, libre de toute attache. Je ne veux rien savoir du mariage, car cela ne signifie rien pour moi. Alors, ne me l'offre pas comme s'il s'agissait d'une occasion en or, parce que je vais carrément la refuser. Je t'aime maintenant, aujourd'hui. Demain? Qui sait? Ça, c'est moi. Je ne fais pas semblant d'être quelqu'un d'autre, alors pourquoi n'en fais-tu pas autant?

Il n'arrivait plus à contrôler l'excitation qu'il ressentait. Les mots de Claudia n'avaient pas d'importance. Il la tira vers le lit et donna libre cours à sa furie et à ses frustrations. Elle lutta pour se libérer de l'emprise de David, mais écrasée sous le poids de son corps, elle renonça et s'abandonna entièrement.

Pour David, la situation était éprouvante. Elle l'était toujours lorsqu'il était avec Claudia. Et l'intensité augmentait sur les plans émotif et physique au fil de leurs rencontres.

— Tu ferais mieux de te lever. L'heure fatale a sonné il y a un moment; ta petite femme t'attend.

Elle s'étira langoureusement.

— Ne fais pas la garce, dit-il. De toute façon, je crois que je vais rester.

Elle l'embrassa. Ils téléphonèrent à Linda. Claudia se fit passer pour la téléphoniste pour que l'appel semble être un interurbain. Elle dit à David par la suite :

— Je ne laisserais jamais un enfoiré me parler sur ce ton impunément. Je plains ta femme.

— Vraiment ? dit-il brusquement.

Il n'aimait pas entendre Claudia parler de Linda.

— Oui, je la plains, mais c'est sa propre faute.

— Que veux-tu dire ?

— Qu'est-ce qui a fait que j'étais plus excitante qu'elle à tes yeux ? Parce que je suis un nouveau modèle, je suis plus jeune et plus jolie ? Suis-je plus jolie ?

— Oui, tu es plus jolie.

— Mais tu ne devrais pas avoir à chercher ailleurs. Elle devrait essayer de se renouveler continuellement pour toi. La plupart des femmes se marient et arrêtent aussitôt de faire des efforts. « Le poisson a été capturé. On peut donc ranger l'appât et ne le ressortir que lors d'occasions spéciales. » Je ne dis pas que tu ne t'enverrais pas en l'air de temps à autre – tous les hommes le font, même les hommes mariés les plus heureux –, mais ça ne serait que ça, une aventure d'un soir et non une relation extraconjugale comme la nôtre ; tu n'en aurais pas besoin.

— Merci, conseillère matrimoniale Parker, mais je crois qu'il y a erreur sur la personne.

— Devrais-je plutôt parler à ta femme ? Qu'est-ce que je dirais ? « Ma très chère, en toute confidentialité, je saute ton mari, et c'est bien dommage. S'il ne s'ennuyait pas comme une croûte de pain avec toi, peut-être qu'il aurait à nouveau envie de toi. Mets-y un peu de vie, et il te reviendra. »

Ils pouffèrent de rire.

— Tu es une vraie garce. C'est pour cette raison que je t'aime, tu crois ?

— Non, gloussa-t-elle. Tu sais pourquoi tu m'aimes.

Ils se levèrent et pendant que Claudia s'affairait dans la cuisine à préparer des sandwichs, David rôda dans l'appartement, se demandant comment aborder à nouveau le sujet de ses finances. Elle l'avait contrarié avec son petit discours sur son refus de l'épouser. En fait, il n'était pas si contrarié que ça. En y songeant bien, c'était son mécanisme de défense qui parlait. Elle savait fort bien qu'ils ne pouvaient pas se marier, donc, pour sauver la face, elle s'était probablement convaincue qu'elle ne voulait rien savoir du mariage de toute façon. Et en y pensant bien, il se réjouissait presque de la situation, car elle le mettait dans la position enviable d'avoir le beurre et l'argent du beurre. Il ne voulait pas vraiment quitter Linda. Il l'aimait à sa façon, mais il avait arrêté de la désirer peu après leur mariage. Il avait compensé en ayant diverses aventures au fil des années. Du point de vue matériel, il avait été plus que généreux avec Linda. Elle était l'épouse parfaite ; c'était une bonne hôtesse et une bonne mère.

Non, il ne voulait vraiment pas quitter Linda. Il ne se sentait pas particulièrement coupable face à ses infidélités, bien que si elle en faisait autant… Mais non, c'était impensable. L'idée même que Linda lui soit infidèle était ridicule.

Claudia était dans la cuisine à lécher ses doigts couverts de mayonnaise. Elle portait un kimono rose et avait tiré ses cheveux vers l'arrière.

— Tu as l'air d'avoir quinze ans, dit-il.

— Toi, tu as l'air d'en avoir cinquante. À quoi penses-tu ? Est-ce que tu boudes parce que j'ai refusé ton offre galante ?

— Je veux qu'on discute sérieusement. Apporte les sandwichs et viens t'asseoir.

Elle le suivit jusque dans le salon et, tout en mangeant, s'assit sur le plancher près de ses pieds.

— Qu'est-ce qui te tracasse au juste ?

— Écoute, chérie. Je pense souvent à toi.

Elle rit.

— Je l'espère bien.

— C'est sérieux, poursuivit-il. Je suis inquiet depuis un moment à propos de ta situation financière. Le montant du loyer de cet appartement n'est sûrement pas donné ; je veux te donner un coup de main. Je veux dire, dis-moi franchement, d'où vient ton argent ?

Elle demeura immobile. Ses yeux prenant une lueur dangereuse... Elle réussit tout de même à maintenir un ton de voix agréable.

— Dis-moi, mon chéri, roucoula-t-elle, pourquoi veux-tu le savoir ?

Il n'avait pas porté attention aux signaux.

— Parce que je veux savoir, c'est tout. Reçois-tu une allocation de ton père ou quelque chose du genre ?

— Allons donc. Je n'ai pas vu ma famille depuis cinq ans et ça ne me dérange pas de ne jamais les revoir. Mon vieux ne me donnerait jamais un seul sou même si ma vie en dépendait.

Elle se tut. David se rendit compte qu'elle n'avait aucunement l'intention de répondre à sa question.

— Claudia... Je veux savoir, dit-il sèchement.

Elle se leva.

— Je n'aime pas les interrogatoires. Je ne te demande rien. Je ne veux absolument rien de toi.

Elle se mit à crier.

— Arrête tes questions ! À quoi penses-tu ? Comment penses-tu que j'obtiens mon argent ? Est-ce que tu penses que je suis une prostituée ? Si je l'étais, je te demanderais sûrement de l'argent, non ?

Elle était désormais en larmes. Il était estomaqué d'avoir provoqué une telle colère.

— La manière dont j'obtiens mon argent ne regarde que moi, et si ça ne te plaît pas, eh bien, oublie-nous ! cria-t-elle.

David venait d'être piqué par la même mouche qu'elle.

— Entendu, dit-il froidement, oublions tout.

Il se dirigea tout droit vers la chambre et enfila ses vêtements. Elle ne le suivit pas.

Lorsqu'il sortit de la chambre, elle était assise sur le canapé à lire un magazine qu'elle ne quitta pas des yeux. Il resta là, se demandant s'il devait partir ou rester.

— Est-ce que tu vas me le dire ? demanda-t-il.

Continuant de lire son magazine, elle resta muette.

— Salut, dit-il avant de tourner les talons.

Aussitôt qu'il se retrouva dans le couloir, il regretta son geste. Il ne pouvait pas rentrer à la maison. Il songeait à réparer les pots cassés avec Claudia, mais cela n'était pas possible. En cédant, il s'avouerait vaincu, chose qu'il n'avait jamais faite avec une femme. Il décida plutôt de la laisser poireauter un peu ; elle ne tarderait pas à revenir en courant – elles le font toutes.

Il descendit à sa voiture, ayant décidé de passer la nuit dans un bain turc. La raison pour laquelle Claudia tenait tant à cacher la source de ses revenus le laissait perplexe. Cela ne pouvait signifier qu'une chose : il ne serait pas d'accord. Alors dans ce cas, lorsqu'elle lui avouerait, il y mettrait fin – peu importe d'où l'argent provenait – et elle serait dépendante de lui seulement, et c'est précisément ce qu'il voulait.

Il conduisit jusqu'aux bains turcs de la rue Jermyn ; après avoir alterné entre le bain vapeur et le bain d'eau glacée, et avoir reçu un massage, il fut fort heureux de s'installer dans sa petite cabine blanche où il trouva le sommeil rapidement. Il allait tout régler le lendemain.

Chapitre 4

Paul paraissait plus jeune aux yeux de Linda que ce dont elle se souvenait. Il portait un chandail noir et des pantalons ajustés de la même couleur. Elle avait décidé de mettre une robe bleu marine toute simple après avoir éliminé plusieurs autres possibilités. Ils se donnèrent rendez-vous à un endroit précis. Paul l'aida à sortir de sa voiture et lui dit qu'il conduirait étant donné qu'il savait comment s'y rendre.

— Je suis heureux que tu aies changé d'avis. Pourquoi au fait ? Mon charme irrésistible ? ajouta-t-il en souriant.

— Je ne sais pas.

La quantité de vin qu'elle avait bu et la vitesse à laquelle elle s'était préparée l'avaient fatiguée.

— Je n'aurais peut-être pas dû venir ; je ne sais pas vraiment ce que je fais ici.

Il la regarda.

— Je suis content que tu sois ici. Je pense que tu ne regretteras pas d'être venue. En fait, je te le promets.

Ils roulèrent pendant un court moment le long des landes jusqu'à l'entrée de cour d'une vieille maison décrépite. Les fenêtres étaient éclatantes de lumière et le registre lourd de Solomon Burke rugissait de la chaîne stéréo. Un couple se disputait sur le seuil de la porte grande ouverte. Pendant que Paul et Linda arrivaient, plusieurs autres personnes entrèrent dans la maison en riant et en criant. Paul gara la voiture et ils entrèrent eux aussi.

Ils furent accueillis par une scène pour le moins démente. La porte d'entrée menait à un petit hall avec de grandes pièces de chaque côté et un immense escalier en plein centre. L'escalier était jonché d'une faune bigarrée : plusieurs barbus, des filles assises, d'autres debout, et tout le monde buvait. La pièce à droite était remplie de couples qui dansaient ou s'embrassaient. À l'exception d'une chaîne stéréo en piteux état à l'équilibre précaire sur le bord de la fenêtre, la pièce n'était pas meublée. Dans la pièce à gauche, une fille mince aux cheveux roux et raides se dévêtait au son de bongos que martelait un Antillais vêtu uniquement d'un short blanc ; personne ne leur portait attention. La plupart des gens regardaient un garçon blond au fond de la pièce qui était assis sur une chaise, tout nu, récitant un poème obscène. Paul serra le bras de Linda.

— Viens, lui dit-il en grimpant l'escalier avec elle, saluant des gens sur leur passage. Débarrassons-nous de ton manteau et allons nous chercher un verre.

Les pièces à l'étage étaient tout aussi dépourvues de mobilier. Paul l'orienta vers une chambre où se trouvait un lit qui craquait sous le poids de nombreux manteaux. Dans un coin, deux filles se regardaient dans les yeux. Au pied du lit, une autre fille était soit endormie, soit évanouie.

Linda enleva son manteau et se sentit trop chic avec sa robe bleue soignée. Paul lui dit qu'elle était mignonne et l'emmena avec lui pour trouver à boire. Ils descendirent l'escalier et entrèrent dans la pièce à gauche. La rouquine avait cessé de se dénuder et était assise par terre, le gilet de quelqu'un couvrant ses épaules. Elle saisit Paul par la jambe sur son passage.

— Salut bel homme, tu veux baiser ?

Sa voix était pâteuse.

— J'ai un très beau corps. Et toi ?

Linda fut séparée de Paul. Elle se dirigea tout droit vers une table d'où semblait provenir l'alcool. Un gros monsieur bondit derrière elle.

— Tu es très élégante, dit-il. Qui es-tu ?

Son visage était perlé de sueur et son haleine empestait les oignons et la bière éventée.

— Tu veux boire quelque chose ?

— Oui, s'il vous plaît, dit-elle tentant de mettre le plus de distance possible entre elle et le souffle de l'homme.

Il lui versa une bonne quantité de scotch dans un verre craquelé. Elle en prit rapidement une gorgée.

— Allons danser, dit-il en mettant son bras autour de la taille de Linda.

La chaleur de sa main traversait le tissu de sa robe.

— Pas tout de suite, répondit-elle, tentant de se libérer de son emprise.

Il pourlécha ses lèvres dodues, et Paul arriva.

— Salut, Bruno. Je vois que tu as rencontré Linda.

Le gros monsieur retira son bras.

— Ah, elle est à toi ? dit-il brusquement. Je ne comprends pas ce qu'elles te trouvent.

Il s'essuya la bouche avec sa main rondelette et s'éloigna. Paul s'esclaffa.

— Ne tiens pas compte de lui, dit-il, devenant soudainement sérieux. Tu es exceptionnelle, tu sais.

Il prit sa main.

— Merci, dit-elle.

Elle avait toujours eu de la difficulté à accepter les compliments. Elle vida son verre d'une traite.

— J'aimerais en avoir un autre.

Il lui versa une généreuse quantité de scotch, qu'elle avala rapidement, sentant l'effet brûlant de l'alcool presque aussitôt.

— Je crois que je ferais mieux de rentrer chez moi, dit-elle avant d'ajouter : je suis presque saoule, tu sais.

— Je sais.

Il la poussa vers le mur et se pencha vers elle pour l'embrasser.

Elle ferma les yeux pendant qu'elle sentait l'intimité de sa langue séparer ses lèvres. Sa bouche était insistante et exigeante. Elle sentait qu'elle devrait le repousser, mais elle n'en avait ni la force et, en fait, ni l'envie. La dernière fois qu'elle avait reçu un tel baiser remontait à loin. David ne l'embrassait plus, et elle avait oublié à quel point c'était excitant.

— Ah, te voilà.

On reconnaissait la voix geignarde et la touche de colère était indéniable. Paul se redressa. Mélanie se tenait debout, ses cheveux jaunes formant un rideau autour de son visage émacié et rougi.

— Je croyais que tu revenais me chercher, dit-elle en foudroyant Linda du regard. Ou étais-tu trop occupé pour trouver le temps ?

— Je suis désolé, Mel. Je croyais t'avoir dit que je te reverrais ici plus tard.

— Eh bien, non, tu ne m'as pas dit ça, répondit-elle d'une voix stridente. Et comment va madame Cooper? Rétablie, à ce que je vois.

— La ferme, Mel, dit Paul, brusquement.

Il la prit par le bras et l'éloigna de Linda vers le vestibule.

— Écoute, je suis désolé, mais c'est comme ça.

— Comme ça? Que veux-tu dire?

Ses yeux se remplirent de larmes.

— On a eu du bon temps, mais ça tire à sa fin depuis un moment. Il vaut mieux passer à autre chose. Je t'aime bien quand même, tu sais, mais c'est que…

— C'est que, quoi? Et qu'est-ce que tu peux bien voir chez cette bonne femme?

Elle se mit à pleurer.

— Je te déteste, Paul.

— Écoute, jeune fille, tu as dix-sept ans; il va y en avoir d'autres, tu vas voir. Tu ne tarderas pas à m'oublier. On n'est tout simplement pas…

— On n'est pas quoi? l'interrompit-elle en colère. Dieu, que je te déteste!

Il haussa les épaules et s'en alla. Linda était plongée dans une grande conversation avec le gros bonhomme.

— Aimerais-tu partir? demanda Paul.

— Non.

Ses yeux scintillaient. Elle était désormais très ivre.

— Bruno va m'apprendre une nouvelle danse, poursuivit-elle.

— Bruno peut se trouver lui-même une copine. Je vais t'apprendre tout ce que tu veux.

Il jeta un regard de mise en garde vers Bruno et emmena Linda dans l'autre pièce où des gens dansaient; il la serra très fort contre lui.

— Je veux coucher avec toi, susurra-t-il à son oreille.

— Moi aussi, je veux coucher avec toi, chuchota-t-elle. Je veux dire, je ne veux pas, mais ce serait bien, mais... Ma foi, je crois que j'ai besoin de prendre l'air.

Il l'embrassa à nouveau. Cette fois-ci, elle lui rendit son baiser, et leurs bouches se rencontrèrent dans un plaisir réciproque. Ils restèrent immobiles parmi les danseurs, perdus dans leur propre monde. La langue de Paul explora adroitement la bouche de Linda, qui ressentit un soudain désir pour lui. Il la pressa très fort contre lui et la relâcha.

— Attends ici, dit-il. Je vais aller chercher ton manteau.

Elle attendit patiemment, l'effet de l'alcool qu'elle avait consommé plus tôt se faisant sentir par à-coups. Son esprit était brouillé, sa tête bourdonnait. Elle voulait se trouver à nouveau en sécurité dans les bras de Paul. Un vacarme d'enfer provenait du couloir; elle alla voir ce qui se passait. Deux hommes se battaient. C'était Bruno et l'Antillais qui jouait du bongo plus tôt. Ils se proféraient des obscénités en roulant sur le plancher. Personne ne tenta de les arrêter.

— Pourquoi se bagarrent-ils? demanda Linda à la fille près d'elle.

— Oh, ma chère, Bruno doit toujours se bagarrer avec quelqu'un, répondit la fille. C'est Bruno tout craché.

L'Antillais se mit à saigner du nez; il y avait du sang partout. Linda se sentit mal soudainement. Elle avança difficilement vers la porte d'entrée et sortit. L'air frais la dégrisa un peu. Elle se rendit à sa voiture et prit place sur le siège du passager. Paul finit par arriver.

— J'étais inquiet; je croyais que tu m'avais laissé en plan.

Il entra dans la voiture et mit ses bras autour d'elle. Elle le repoussa.

— Qu'est-ce qu'il y a?

— Je ne me sens pas bien. Je pense que je vais être malade.

— Ah, bon. Retournons à l'intérieur et je vais t'emmener à la salle de bain.

— Non, je ne veux pas y retourner.

— Tu vas te sentir mieux bientôt.

Il mit à nouveau ses bras autour d'elle et, cette fois-ci, elle ne le repoussa pas. Il l'embrassa tout en explorant son corps.

Elle se sentait faible et sa tête tournait. Lorsqu'elle ferma les yeux, tout virevoltait autour d'elle. Elle pouvait sentir que Paul la touchait, qu'il l'embrassait, mais c'était comme si cela arrivait à quelqu'un d'autre.

Il la lâcha subitement et démarra le moteur. Il semblait avoir roulé pendant longtemps, alors qu'en fait cela n'avait été qu'un court moment. Ensuite, il l'aida à sortir de la voiture, ils montèrent de nombreux escaliers et se trouvèrent dans une pièce, puis il la poussa sur un lit.

Elle ne se débattit pas lorsqu'il baissa la fermeture éclair de sa robe et la lui enleva parce que, après tout, cela n'était pas en train de se produire.

Il l'embrassa à nouveau. Le lit était moelleux et elle se sentait très à l'aise. Ses bras étaient forts et chaleureux, et ses mains provoquaient en elle une vive excitation. Il la fit tourner sur le ventre et elle sentit qu'il décrochait son soutien-gorge.

—Je ne suis pas ici, murmura-t-elle. Je suis sur une autre planète. Je suis très saoule ; tu ne devrais pas profiter de moi. Je suis une proie facile.

Elle se mit à glousser.

Il posa des baisers sur son dos et elle fut soudainement emportée par une passion dévorante qui sembla durer indéfiniment.

—Je t'aime, dit l'un.

—Je t'aime, dit l'autre.

C'était bien de se sentir désirée.

* * *

Linda se réveilla à cinq heures du matin. Elle ouvrit les yeux, incrédule, mourant de soif. Ses paupières étaient lourdes et son visage était comme du papier de verre. Elle jeta un coup d'œil autour d'elle et vit qu'elle se trouvait dans une petite pièce en désordre. Paul était allongé au pied du lit et dormait.

Elle se releva lentement et chercha des yeux quelque chose pour se couvrir. Elle sentait que sa tête allait fendre en deux si elle bougeait trop vite. Elle tira les couvertures et, s'en enveloppant, se leva du lit.

Paul ne bougea pas d'un poil. Elle réussit tant bien que mal à se traîner jusqu'à la porte et se trouva dans un minuscule couloir encombré qu'elle traversa pour accéder à une petite salle de bain, rouillée et vétuste. Elle alluma une ampoule nue. Lorsqu'elle ouvrit le robinet d'eau froide, une grosse araignée noire traversa insolemment l'évier. Elle faillit hurler.

Elle avala rapidement quatre tasses d'eau qui goûtaient vaguement le dentifrice. Elle se sentit malgré tout un peu mieux.

Elle se regarda dans le miroir au-dessus de l'évier. Son maquillage défait formait des ridules profondes sur son visage et ses cheveux étaient en broussaille. Je cadre bien avec le décor, pensa-t-elle.

Elle retourna à la chambre en trottinant et chercha ses vêtements. Lorsqu'elle les eut trouvés, elle les enfila rapidement. Elle regarda Paul ; il dormait profondément. Elle le regarda longuement et, récupérant son manteau, s'en alla.

Il faisait froid et la rue était vide. Sa voiture toussota et hoqueta, et elle croyait qu'elle ne réussirait pas à la faire démarrer. Elle y parvint, finalement, et conduisit jusque chez elle à travers des rues désertes.

Elle entra dans la maison sans faire de bruit et se rendit directement à sa chambre où tout avait l'air propre et neuf. Elle prit un bain chaud avant de se fondre dans son lit, où elle resta allongée à réfléchir. Elle se sentait extrêmement coupable et furieuse envers elle-même d'avoir laissé la situation dégénérer. Il est vrai qu'elle était ivre, mais était-ce vraiment une excuse valable ? Elle ne s'était jamais vue jouer le rôle de la femme infidèle et ce n'était pas quelque chose qu'elle acceptait facilement.

Qu'est-ce que David dirait de cela ?

Pourquoi ses pensées se tournaient-elles automatiquement vers David ?

Elle s'endormit en pensant qu'au petit matin, elle se retrouverait face à lui, et que cela ne serait pas facile.

Tournant et se retournant sans cesse, elle eut un long sommeil agité.

Chapitre 5

David quitta le bain turc à huit heures, tout frais et vivifié. Il songea à téléphoner à Claudia, mais décida plutôt de laisser passer la journée et de voir si elle l'appellerait.

Il gara sa voiture, acheta les journaux du matin et poursuivit son chemin le long de Park Lane en direction de l'hôtel Grosvenor House où il voulait prendre son petit-déjeuner avant de rentrer à la maison.

Il commanda du bacon, des œufs, des rôties et du café, et s'installa confortablement dans son siège pour éplucher les journaux. Une photo d'une demi-page à la une du *Daily Mirror* attira aussitôt son attention. La photo était sous-titrée « D'autres quasi-émeutes à Trafalgar Square ». On y voyait une foule en colère encerclant deux policiers qui s'apprêtaient à évacuer une femme de la route. La jupe de la femme en question était remontée au-dessus de ses genoux, tellement haut qu'on pouvait entrevoir sa petite culotte. Ses cheveux cachaient son visage et une chaussure s'apprêtait à s'échapper de son pied qui se débattait. La photo était percutante.

La serveuse arriva à la table de David avec son petit-déjeuner. Elle était rondelette et avait un langage coloré. Elle regarda le journal par-dessus l'épaule de David.

— Elle doit être fière de son allure ce matin, celle-là ! marmonna-t-elle. Pas trop tôt qu'on en finisse avec ces stupidités. Une belle bande de m'as-tu-vu, c'est ce qu'ils sont. Ils devraient tous les enfermer !

Elle s'éloigna en caquetant à propos de tout et de rien. David fixa la photo du regard, horrifié. Il n'y avait pas de doute, la femme dans la photo était Linda ! Sa Linda ! Il n'en croyait pas ses yeux. Mais qu'était-elle en train de faire ? À quoi pensait-elle ?

Il avala son café d'un trait, se brûla la langue, jura et, ayant perdu complètement l'appétit, demanda l'addition.

La serveuse revint à petits pas.

— Qu'est-ce qui se passe, très cher ? Ça va ?

Il lui lança de l'argent.

— Tout va bien, dit-il, et il partit en trombe.

Un surveillant de stationnement se trouvait à côté de sa voiture. David arriva, le frôlant sur son passage.

— Je crains, monsieur, que vous ayez à attendre que j'aie fini de rédiger votre contravention, dit l'agent. J'imagine que vous êtes conscient que vous êtes garé dans une zone interdite ?

— Dépêchez-vous pour qu'on en finisse, riposta David.

Le surveillant le foudroya du regard et décida de prendre tout son temps.

David prit la route, le visage assombri. Il réfléchissait à ce qu'il allait dire à Linda. La situation était d'un ridicule consommé. Sa femme à une manifestation ! C'était grotesque. Elle ne connaissait rien, absolument rien à la politique ni aux bombes. Sa vie se résumait à la cuisine, aux enfants et à des activités sociales comme le thé avec les copines et deux sorties par semaine au restaurant. À bas la bombe, en effet ! Mais elle se prenait pour qui ?

Claudia n'était plus dans ses pensées. Il enfonça l'accélérateur et fila à toute allure vers la maison.

Ana lui ouvrit la porte.

— Madame Cooper, elle dormir tard, signala-t-elle. Thé pour vous ?

— Non, grommela-t-il, alors qu'il avait déjà franchi la moitié de l'escalier vers la chambre.

Linda dormait en boule, enfouie sous les couvertures. Il tira sur les rideaux, éclairant la pièce d'une lumière aveuglante. Elle ne bougea pas d'un poil. Il arpenta la pièce, toussa fort et comme elle ne montrait aucun signe de vie, il la secoua sans ménagement, lui flanquant une copie du *Daily Mirror* en plein visage alors qu'elle était mi-consciente. Elle ouvrit les yeux.

— Qu'est-ce que c'est que cette farce ? l'interrogea-t-il en colère.

Oh, mon Dieu, il était au courant à propos d'elle et de Paul. Mais comment ? Si vite. Elle s'assit rapidement dans le lit.

David se tenait debout devant elle, le regard noir pendant qu'il continuait de parler.

— Qu'est-ce que c'est que ça ? Une sorte d'ambition secrète de te faire passer pour une idiote ?

Il brandit à nouveau le journal devant les yeux de Linda, et elle le lui enleva. Un sentiment de soulagement l'envahit lorsqu'elle constata la raison pour laquelle il était furieux.

— Quel affreux cliché ! s'exclama-t-elle. Je ne savais pas que quelqu'un prenait des photos.

— C'est tout ce que tu as à dire ?

Il l'imita :

— « Je ne savais pas que quelqu'un prenait des photos. »

Il lui arracha le journal des mains.

— Et qu'est-ce que tu faisais là, au fait ? vociféra-t-il d'une voix colérique. Où avais-tu la tête ?

— Je n'avais rien d'autre à faire et je me suis retrouvée là par hasard. Je suis désolée que tu sois si fâché.

— Je ne suis pas fâché, hurla-t-il. J'aime bien voir des photos de ma femme à la une de tous les journaux, la jupe autour de la taille et accompagnée d'une bande de fainéants.

Elle sortit du lit.

— Je ne resterai pas là à me faire crier après. Peut-être que si tu passais une fin de semaine à la maison de temps à autre ça ne serait pas arrivé.

Le téléphone retentit à ce moment-là. Linda sentit la chaleur lui monter au visage. Et si c'était Paul ? Devrait-elle répondre, ou serait-ce préférable qu'elle laisse David le faire et Paul pourrait raccrocher au son de sa voix. Elle était convaincue que c'était lui.

David s'empara du combiné et aboya « OUI ? »

Linda retint son souffle pendant que David entamait une longue conversation avec quelqu'un de son bureau. Elle profita de ce moment de répit pour s'habiller.

Lorsqu'il raccrocha, il semblait un peu plus calme.

— Veux-tu que je te prépare à déjeuner ? demanda-t-elle.

— Non. Je dois faire des appels. Il y a une réception de lancement de la campagne du savon Beauty Maid ; j'avais complètement oublié. Il serait préférable que tu viennes me rencontrer au bureau à dix-neuf heures, et nous partirons de là. Doux Jésus, j'espère que personne ne t'a reconnue dans les journaux.

Elle gémit en silence à l'idée d'une autre réception. Elle se mit ensuite à planifier sa journée, qui incluait être à la maison pour accueillir les enfants et passer chez le coiffeur.

Pendant ce temps, David était perdu dans ses propres pensées. Claudia serait sûrement à la réception ; elle était payée pour y être. Il se disait qu'il pourrait peut-être se réconcilier discrètement avec elle sans que personne ne le remarque. Il devait cependant veiller à ce que Linda ne se doute de rien ; elle semblait se préoccuper de plus en plus de ses absences prolongées. Elle commençait peut-être à le soupçonner, bien que cela serait étonnant. Il avait réussi à avoir plusieurs aventures au fil des années et elle ne s'en était jamais rendu compte. Il aurait au moins la chance de voir Claudia. Il commença à faire ses appels.

* * *

Les enfants firent irruption dans la maison à seize heures tapant. Le père de Linda avait toujours été un modèle de ponctualité. Elle arrivait tout juste de chez le coiffeur. Stephen se précipita sur sa mère, la renversant presque.

— On s'est amusés comme des fous, maman, s'exclama-t-il. J'ai très, très faim. Qu'est-ce qu'on mange comme collation ? Mamie fait de bien bons gâteaux !

Sa sœur, Jane, donna un petit bec à Linda. Elle était âgée de six ans et était plutôt timide.

— Je suis contente d'être à la maison. Maman... Tes cheveux sont tellement jolis. Est-ce que vous sortez, toi et papa ?

Linda accueillit son père. Ils s'assirent et causèrent pendant qu'Ana servait le thé et que les enfants s'affairaient à redécouvrir leurs nombreux jouets.

Elle n'écoutait qu'à moitié pendant que son père bavardait sur les activités auxquelles Stephen et Jane s'étaient adonnés pendant la fin de semaine. Elle pensa à Paul. Comment la trouvait-elle? Pourquoi n'avait-il pas téléphoné? Que dirait-elle s'il téléphonait pendant que David était présent?

Finalement, son père partit. Pendant qu'Ana s'occupait des enfants et qu'elle leur donnait à souper, Linda commença à se préparer. Elle s'apprêtait à partir lorsque le téléphone sonna. Elle s'attendait tellement à ce que ce soit Paul à l'autre bout du fil qu'elle commença à transpirer et sa main trembla en décrochant le combiné.

— Allo.

— Allo, ma chère, c'est Monica. Dis donc, toi alors! Petite cachotière, va! Quand tu nous as laissés hier, tu n'as pas dit un traître mot à propos d'où tu allais. Qu'est-ce que David pense de tout ça?

— Oh, répliqua Linda, il n'est pas très content.

Monica se mit à rire.

— Ne t'en fais pas; Jack et moi trouvons ça formidable. Au fait, ma belle, nous avons invité des gens à venir faire un tour après le souper ce soir, et nous aimerions que toi et David veniez.

— Je ne sais pas, Monica. Nous devons aller à une réception de presse pour le lancement d'un nouveau savon. Je ne sais pas à quelle heure nous réussirons à nous libérer.

— Ne t'en fais pas. Venez quand vous aurez terminé. Tu nous connais; on est toujours en retard.

Elle ne laissa pas à Linda la chance de protester.

— On se voit plus tard, donc. Au revoir!

Linda raccrocha le combiné. Elle n'aimait pas tant que cela Monica et Jack, et elle n'avait surtout pas envie de les voir plus tard en soirée. Or, elle aurait à dire à David qu'ils étaient invités et il voudrait probablement y aller.

Elle quitta la maison de mauvaise humeur, souffrant d'un mal de tête et à moitié en colère et à moitié soulagée que Paul n'ait pas téléphoné. Elle voulait désespérément qu'il appelle, sinon, tout ça rimait à quoi ? À une aventure d'un soir ? À la rencontre de deux personnes n'ayant rien d'autre en commun que quelques heures au lit ? Or, s'il téléphonait, elle voulait lui dire qu'il était impossible qu'ils se revoient, qu'ils avaient commis une grave erreur.

Elle soupira. En s'interdisant ce qu'elle désirait vraiment, elle allait au moins rétablir une petite partie de son estime d'elle-même. C'était si soudain, si inattendu. Elle ne s'était jamais vue comme étant le genre de femme à avoir une aventure. Aussi, Paul était tellement plus jeune qu'elle et différent du type de personnes qu'elle connaissait et côtoyait. Comment était-ce arrivé ?

Elle s'interrogea et conclut que c'était probablement sa faute à elle. Elle se résolut à chasser l'incident de son esprit et à faire tous les efforts pour rétablir la situation entre elle et David.

Ayant pris sa décision, elle se sentit mieux.

* * *

Il était vingt-et-une heures lorsque Claudia arriva à la réception Beauty Maid. David l'avait cherchée des yeux toute la soirée et, finalement, elle était là. Tout à coup, elle était à ses côtés, exceptionnellement ravissante.

— Bonsoir, monsieur Cooper, murmura-t-elle.

Elle l'avait pris de court pendant qu'il parlait à un groupe de gens composé de plusieurs journalistes et de Linda. Il devint agité.

Claudia le remarqua et esquissa un sourire. Les gens du groupe le regardaient, attendant d'être présentés. Il finit par dire :

— Je vous présente Claudia Parker, le visage de Beauty Maid.

Claudia adressa un sourire au groupe. Elle avait le teint rougeaud et l'œil pétillant. David vit tout de suite qu'elle était un peu ivre. Elle portait une robe orange au décolleté vertigineux. Les femmes autour redressèrent les épaules et bombèrent la poitrine, comme s'il s'agissait d'une soudaine provocation. Les hommes étaient de toute évidence fort impressionnés.

— Mademoiselle Parker ?

Ned Rice, un petit reporter aux yeux de fouine, s'avançait vers elle.

— Que pensez-vous vraiment du savon Beauty Maid ? demanda-t-il en reluquant sa poitrine.

Claudia joua le jeu. Elle fit papillonner ses très longs cils et fixa sur lui l'un de ses regards langoureux à souhait.

— Eh bien, dit-elle après une longue pause, en réalité je suis une actrice. Je ne sens pas que je peux vous donner un avis sérieux à propos du savon. En effet, j'arrive tout juste d'une rencontre avec Conrad Lee et il veut vraiment me confier un rôle dans son prochain film.

Elle jeta un regard triomphant vers David. Ned Rice était tout ouïe.

— Mais c'est génial ! Nous pourrions peut-être écrire un article à votre sujet pour notre rubrique cinéma.

— J'aimerais bien, dit-elle en souriant. Laissez-moi vous donner mon numéro de téléphone.

David n'en pouvait plus. Il l'agrippa par le bras, força un sourire.

— Veuillez nous excuser, mademoiselle Parker est ici pour une raison précise, dit-il. Elle fera une démonstration de notre produit, d'ailleurs je crois qu'elle doit commencer sous peu ; je dois donc l'emmener voir Phillip Abbottson.

— Ah, bon. Alors, mademoiselle Parker, dit Ned Rice, nous nous reverrons plus tard à propos de l'article.

— D'accord.

Elle décocha une dernière fois un sourire radieux au groupe et suivit David. Aussitôt qu'ils furent hors de portée de voix, il explosa.

— Tu es saoule, l'accusa-t-il. Où étais-tu ? Tu étais attendue à vingt heures.

Elle lui jeta un regard impassible.

— David, mon très cher, tu n'es rien dans ma vie, alors pourquoi ne me fiches-tu pas la paix ?

— Sale garce, dit-il à voix basse.

Il resserra son emprise sur son bras.

— Je vais faire une scène si tu ne me lâches pas, dit-elle très calmement. J'en ai assez de me faire dire comment agir. Je ne suis pas la femme de quelqu'un qui doit répondre à des questions et rendre compte de chacun de ses gestes.

À ce moment précis, Phillip Abbottson se précipita auprès d'eux.

— Mais que se passe-t-il ? lui demanda-t-il. Claudia, tu devais être ici il y a une heure. Nous attendons de dévoiler le présentoir. Va te changer, ma foi ! On n'a pas envie de passer la nuit ici, tu sais.

Il jeta un regard oblique vers David et repartit à toute vitesse, traînant Claudia derrière lui.

Ned Rice s'approcha de David. Sa femme rondelette et blafarde discutait avec Linda de l'autre côté de la salle.

— Un bien beau morceau, votre mademoiselle Parker, dit-il d'un air vicieux. Je parie qu'elle est un sacré numéro, une vraie tigresse.

David s'efforça de rester calme.

— Je n'en sais rien.

— Donc, il n'y a pas de mal à ce que je m'accorde un peu de plaisir.

Il poussa David du coude.

— Ces starlettes sont toutes pareilles, poursuivit-il. Il suffit de leur dire que leur nom va apparaître en grosses lettres dans les journaux et elles ouvrent les jambes sans même qu'on leur demande.

David n'eut pas à répondre parce que leurs femmes se dirigeaient vers eux. Ned tapota affectueusement l'épaule potelée de son épouse.

— Tu t'amuses, mon poussin ? lui demanda-t-il.

Il brandit ensuite un index accusateur en direction de Linda.

— Et comment avez-vous fait pour vous retrouver à la une des journaux du matin ?

L'antipathie que David ressentait à l'endroit de Ned Rice s'accentuait.

À ce moment précis, l'intensité de l'éclairage fut diminuée et un projecteur fut braqué sur une fausse scène à une extrémité de la salle. Phillip Abbottson était prêt à prendre la parole au microphone. Aussitôt que le bavardage eut cessé, il commença un long discours à propos du savon Beauty Maid. Excellent promoteur, il parlait d'un simple pain de savon comme si c'était de l'or en barre. À la fin de son discours, quelques applaudissements dispersés se firent entendre, et il se rangea d'un côté de la scène et dit :

— Et maintenant, permettez-moi de vous présenter mademoiselle Beauty Maid en personne !

Les rideaux furent tirés pour dévoiler Claudia assise dans un bain de marbre rempli de mousse, la réplique exacte de la scène qui avait servi au tournage de la publicité télévisée. Elle portait un maillot couleur peau, mais comme personne ne pouvait le voir, on supposait qu'elle était nue sous les bulles. David ressentit une soudaine excitation physique.

Claudia sourit à la salle et commença à réciter son discours Beauty Maid. Ned Rice murmura quelque chose d'obscène à l'oreille de David.

— Ma foi qu'elle est mignonne, dit madame Rice à Linda.

Cette dernière regardait dans le vide en pensant à la veille.

La fin du petit discours de Claudia fut accueillie par les applaudissements chaleureux des hommes et quelques gloussements jaloux de la part des femmes. Les rideaux se refermèrent sur Claudia, et Phillip reprit sa place au microphone.

David en profita pour s'excuser et se rendit derrière la scène. Le bain de marbre était vide. Il remarqua une petite porte à l'arrière du podium. D'abord hésitant, il décida de l'ouvrir.

Claudia était en train de se sécher. Elle se trouvait dans un très petit bureau. Fidèle à son style brouillon, elle avait éparpillé ses vêtements un peu partout. Elle portait encore le maillot couleur chair qui moulait parfaitement ses formes. Elle le regarda d'un œil las.

— Qu'y a-t-il ?

Il s'approcha d'elle et posa ses mains sur ses épaules.

— Excuse-moi, dit-il. Finies les questions.

Elle le regarda avec ses grands yeux.

— Promis ?

— Promis.

Elle lui sourit et glissa ses bras autour de son cou.

— D'accord, je te pardonne.

Il se pencha pour poser un baiser sur ses lèvres chaudes et douces. Il glissa ses mains sous le haut de son maillot et se mit à le lui retirer d'un mouvement lent.

— Pas ici, imbécile. Quelqu'un risque d'entrer... Certaines personnes vont aussi se demander où tu es passé.

Il la lâcha pour aller verrouiller la porte. Elle ricana doucement.

— David... Tu n'as vraiment pas peur du risque.

Il enveloppa ses seins de ses mains et se pencha pour les embrasser. Elle gémit.

— Fais comme tu veux, fils de pute, je n'en ai rien à foutre !

Chapitre 6

La petite fête chez Monica et Jack battait son plein lorsque Linda et David arrivèrent. Elle était composée d'une faune hétéroclite, car Monica aimait la « diversité », disait-elle. Monica était une femme quelque peu grassette frôlant la quarantaine et qui tentait désespérément de remonter le temps. Elle avait une crinière frisottée roux flamboyant, et son visage – malgré un maquillage lourd – était celui d'une adepte de plein air, avec des traits presque chevalins. Son parfum musqué et écrasant embaumait l'air, tout comme sa personnalité d'ailleurs. Elle avait un ton de voix plutôt aigu et ses conversations étaient truffées de « mon cœur », « chéri » et « oh, mon Dieu ! »

Jack, en revanche, était plutôt effacé. Il était un peu plus âgé que David. Ils étaient des amis proches depuis de nombreuses années. Il fumait une pipe et arborait une moustache poivre et sel. Il portait toujours une veste de suède sans manches ou d'autres vêtements d'allure sportive semblable. On pouvait aisément l'imaginer propriétaire d'un immense manoir niché dans un petit hameau de l'Angleterre, à faire de longues promenades sur son vaste terrain avec son gros chien. Il possédait une chaîne de garages et s'était adonné un peu à la course automobile lorsqu'il était plus jeune. Même aujourd'hui, il lui arrivait souvent de faire quelques tours de piste pour garder la main.

Monica s'empara de Linda dès son arrivée et, passant son bras autour de ses épaules, l'emmena au salon et annonça à haute voix :

— Je vous présente notre célébrité « À bas la bombe ! »

Linda était fort embarrassée. Monica l'avait décrite comme un nouveau modèle d'avion ! Elle connaissait la plupart des gens présents, et tous la saluèrent. Il y avait un couple qu'elle n'avait jamais rencontré, un homme trapu à la peau très foncée et une fille aux cheveux blond cendré à l'air hautain. Aussitôt que Monica eut fini son annonce spectaculaire, elle leur présenta Linda.

— Linda, voici Jay et Lori Grossman, des amis américains. Jay est ici pour réaliser le prochain film de Conrad Lee.

— Vraiment, dit Linda. C'est intéressant. J'ai rencontré une fille en début de soirée qui va y tenir un rôle.

Jay haussa un sourcil.

— C'est en effet très intéressant.

Il s'exprimait avec un accent new-yorkais.

— Aucun rôle n'a été distribué jusqu'à maintenant, sauf celui de la vedette masculine.

Linda sourit.

— Je soupçonne qu'elle se fait des illusions.

— Au fait, quel est son nom ? demanda Jay.

Linda fronça les sourcils.

— Je ne m'en souviens pas. Mon mari le saura. Elle vient de faire une publicité pour son entreprise.

À ce moment précis, Monica arriva avec David et fit les présentations. Il était de très bonne humeur depuis qu'il avait quitté l'autre groupe. Il passa son bras autour des épaules de Linda et se mit à bavarder avec les Grossman.

— Chéri, l'interrompit Linda, quel est le nom de la jeune fille qui a fait ta pub pour Beauty Maid ?

— Pardon ? rétorqua-t-il, déjà rongé par la culpabilité. Pourquoi veux-tu savoir son nom ?

Linda le regarda d'un air étrange, du moins il le croyait.

— Me faut-il une raison ? demanda-t-elle.

Il sentit monter la tension pendant le court silence qui suivit. Il rit jaune.

— Bien sûr que non. Claudia Parker. Pourquoi ?

Jay secoua la tête.

— Je ne la connais pas.

— De quoi s'agit-il ? demanda David.

— Tu te souviens, dit Linda, qu'elle a dit qu'elle allait jouer dans le prochain film de Conrad Lee. Jay va le réaliser. Je croyais donc qu'il la connaissait. De toute façon, il semblerait qu'elle n'en fera pas partie.

— Elle n'a pas dit qu'elle aurait un rôle dans le film, affirma David. Elle a dit qu'elle avait rencontré Conrad Lee et qu'elle lui avait plu, c'est tout.

Jay s'esclaffa.

— D'où la confusion. Conrad se plaît à rencontrer ces pauvres petites et à les embobiner. En toute confidentialité, nous avons déjà trouvé l'actrice, une Italienne inconnue de seize ans. Cela contribue à mousser la publicité pour le film. Nous créons un grand événement autour de la recherche de la bonne candidate et Conrad se plaît à les rencontrer. Ainsi, tout le monde est heureux.

David lui envoya un sale regard.

— Tout le monde sauf les filles à qui il a donné de faux espoirs.

Jay haussa les épaules.

— C'est ça, le monde du spectacle. La plupart d'entre elles connaissent les règles, et celles qui ne les connaissent pas les apprennent.

Il se tourna vers sa femme qui jusqu'à maintenant n'avait pas dit un traître mot.

— N'est-ce pas, mon cœur ?

Lori Grossman opina de la tête. Son visage était toujours impassible, comme celui d'une très belle poupée de porcelaine sans expression.

— C'est de cette façon que Lori et moi nous sommes rencontrés, poursuivit Jay. Elle était actrice, elle a auditionné pour un rôle et c'est moi qu'elle a obtenu à la place. Elle est ma troisième femme. Les deux autres étaient également des actrices. Je les ai probablement rencontrées de la même façon. Je ne me souviens plus très bien.

Lori ouvrit finalement la bouche. Elle avait un accent traînant du sud des États-Unis.

— J'aimerais bien un autre verre, mon chou.

— Bien sûr, ma chérie.

Jay se leva.

— Et vous, madame Cooper ?

— Appelez-moi Linda. J'aimerais bien un gin-tonic.

Pendant que Jay allait quérir les verres, Monica revint chercher Linda, l'entraînant vers un autre groupe de gens pour leur montrer la fameuse coupure de presse.

Lori croisa ses longues jambes bien galbées. David laissa errer son regard.

— De quel coin des États-Unis êtes-vous ? demanda-t-il de façon agréable.

— Je viens de la Géorgie, mon chou, répondit-elle en clignant des yeux langoureusement. Mais je vis à Hollywood depuis cinq ans.

Il l'étudia. Elle était plus âgée que Claudia. Selon lui, elle avait probablement autour de vingt-sept ans. Elle avait tout de ces mannequins minces du magazine *Vogue*, tout était judicieusement placé. Il se sentit attiré par elle. Cette perfection qu'elle affichait le rendait curieux quant à son comportement au lit. Il se demandait si ce magnifique chignon de cheveux blond cendré restait en place. Il était difficile d'imaginer la femme sans son parfait chignon.

— Vous êtes ici pour combien de temps ? demanda-t-il.

— Plusieurs mois, j'imagine, dit-elle de sa voix traînante.

Elle semblait incapable d'entretenir une conversation, se contentant de répondre aux questions qui lui étaient posées. Il y eut un moment de silence.

— Vous et votre mari devez venir souper à la maison bientôt, lui proposa David.

— Ce serait très agréable.

Elle sourit, affichant deux rangées de dents parfaitement droites et blanches, toutes des couronnes. Jay revint avec ses verres.

— Où est passée votre charmante épouse ? demanda-t-il.

— Chéri, il n'y a pas de glaçons dans ce verre, signala Lori d'un ton irrité.

— On s'en fout des glaçons, dit Jay. Nous sommes en Angleterre, mon lapin, et les Anglais se fichent passablement des glaçons.

Il se tourna vers David.

— Écoutez, nous devons aller rencontrer des amis bientôt au Candy Club. Pourquoi ne viendriez-vous pas avec nous ?

— C'est notre deuxième réception de la soirée, et je ne sais pas si Linda aura l'énergie qu'il faut. Mais ça me semble être une bonne idée, affirma David. Je vais lui demander.

— Il faut à tout prix que vous veniez, dit Jay. Lori danse merveilleusement bien. Je vais moi-même aller demander à Linda.

Et il partit.

— Mais comment faites-vous pour vivre sans glaçons ? dit Lori à David.

David s'esclaffa.

— Nous en avons habituellement ; nous sommes plus civilisés que ça. Je présume qu'ils en ont manqué.

Elle retroussa son nez.

— J'aime les glaçons, affirma-t-elle, puis elle regarda dans le vide.

Il vérifia l'heure à sa montre. Il était passé minuit. Claudia devait sûrement être dans son lit. Elle lui avait promis qu'elle rentrerait directement chez elle. « Tu m'as épuisée ; je n'ai plus d'énergie pour rien d'autre ! » avait-elle blagué. Il se demandait s'il devait lui téléphoner, mais décida qu'il était trop tard. Il ne voulait pas la réveiller. De toute façon, il n'y avait pas un endroit suffisamment privé duquel il pouvait l'appeler. Bien que le Candy Club semblait être une bonne idée, voir danser Lori Grossman était encore mieux.

Jay revint avec Linda, affichant un large sourire accroché.

— On ne me refuse jamais rien, dit-il en faisant un clin d'œil. Ça y est. En route, tout le monde ?

Monica était plutôt glaciale lorsqu'elle constata que David et Linda partaient avec les Grossman.

— Mais, voyons, mes chéris, gémit-elle, vous venez à peine d'arriver !

Ils partirent tout de même et s'entassèrent dans la Jaguar de David.

Lori était enveloppée d'un vison noir Black Diamond pleine longueur. David se rappela alors qu'il avait promis à Claudia de lui acheter une fourrure. Il le ferait le lendemain ; elle avait été si adorable tantôt. « Adorable » n'était peut-être pas le bon qualificatif...

Linda et Jay s'entendirent comme larrons en foire dès le départ. Ils bavardèrent à propos des différences entre l'Angleterre et l'Amérique, des écoles et où il était préférable d'élever des enfants. Jay avait trois enfants de ses mariages précédents. À un moment donné, il dit à David : « Ta femme est à la fois belle et intelligente ; toute une combinaison. »

Linda commençait à se sentir beaucoup mieux ; son mal de tête s'était dissipé et elle avait bu juste assez d'alcool pour éloigner la fatigue. Elle chassa Paul de son esprit et prit plaisir à parler avec Jay.

Dès qu'ils furent arrivés à la boîte de nuit, Jay demanda qu'on le conduise à la table de Conrad Lee.

Le fameux Conrad Lee était un homme de grande taille, volubile, moitié Français, moitié Russe, approchant la soixantaine. Il était complètement chauve et très bronzé. Son regard pénétrant semblait vous transpercer, même dans l'obscurité de la boîte de nuit.

Attablé avec six autres personnes, il se leva d'un seul bon pour prendre Lori dans ses bras. Lorsque Linda lui fut présentée, il lui fit un baise-main. Une forte odeur d'ail se dégageait de lui.

Les serveurs se précipitèrent pour essayer de loger d'autres chaises autour de la table déjà bondée. Jay tenta de faire les présentations, mais le son de l'orchestre était tellement fort qu'il était impossible de s'entendre parler.

À la fois stupéfait et furieux, David fixa Claudia du regard. Elle était assise aux côtés de Conrad, ses cheveux en bataille, une bretelle de sa robe ayant glissé de son épaule, dévoilant un décolleté enivrant. Elle était ivre. Lorsque Conrad s'assit, il caressa son épaule nue, faisant glisser la deuxième bretelle de sa robe. Une fille, une brune rondelette, était assise de l'autre côté de Conrad Lee. Il avait son bras autour de ses épaules et lui pinçait la peau du dos avec ses doigts.

— J'ai deux belles jeunes filles, ici, dit Conrad à Jay, et lui faisant un clin d'œil. Peut-être qu'elles pourraient jouer dans notre film.

Jay leva un sourcil en direction de Linda.

— Tu vois ce que je veux dire, dit-il en souriant.

— C'est la fille dont je parlais, murmura Linda.

— Je vois. Ses chances d'obtenir un rôle sont aussi bonnes que celle d'une mouche !

Claudia aperçut David à ce moment-là. Elle était trop saoule pour être surprise ou atterrée. Elle agita la main gaiement.

— Le monde est tellement petit.

David se rappela qu'elle lui avait dit la même chose la première fois qu'ils s'étaient rencontrés. Il la regarda de travers.

Conrad emmena Lori sur la piste de danse et Jay en fit autant avec Linda.

David prit place dans la chaise vide à côté de Claudia.

— Sale garce ! dit-il à voix basse. « Je rentre directement chez moi... » À un moment donné, j'imagine que oui.

Elle le regarda d'un air surpris.

— Qu'y a-t-il, mon trésor ? Je suis rentrée à la maison, mais Conrad a appelé pour me dire qu'il voulait me revoir afin de prendre une décision à propos du rôle. Je dois penser à ma carrière, non ?

— Tu es saoule, dit-il avec dégoût. Tu agis comme une vulgaire pute. Tu crois vraiment tout ce que Conrad essaie de te faire avaler à propos de son satané film ? Je te croyais plus intelligente que ça.

Elle lui jeta un regard froid.

— Ferme-la ; tu me rends malade. Tu es jaloux, c'est tout. Tu n'es gentil que lorsque tu es bandé !

Il avait envie de la gifler. Elle resta assise, le dévisageant. Pendant un court moment de lucidité, il vit que la belle Claudia était plutôt un esprit calculateur agencé à un corps bien roulé et exhibé sans pudeur.

— Tes seins sont à la vue de tous ! dit-il.

— Et puis ? rétorqua-t-elle. Pourquoi pas ? Penses-tu être le seul à avoir le droit de les voir ?

La brunette dodue assise de l'autre côté de David tira sur sa manche.

— Es-tu toi aussi un producteur de films ? lui demanda-t-elle.

Elle avait de grands yeux ronds quelque peu injectés de sang.

— Non, répondit-il sèchement.

Conrad et Lori revinrent à la table. David se leva. Lori était très grande. Elle se tenait là, froide et distante. David pouvait voir que Claudia jetait un regard jaloux dans sa direction. Il saisit aussitôt Lori par le bras.

— Et si on dansait ? dit-il. Je veux voir ce style de danse exceptionnel.

Claudia le fusilla du regard et se tourna à nouveau vers Conrad.

— Ça serait amusant, mon chou, dit Lori de sa voix traînante, et ils se dirigèrent vers la piste de danse.

Elle dansait merveilleusement bien.

— J'ai déjà été danseuse à Vegas, lui confia-t-elle.

La soirée traînait en longueur. Claudia devenait de plus en plus saoule et elle et Conrad se rapprochaient progressivement. La brunette potelée avait de toute évidence été mise au rancart. Linda et Jay continuaient de bavarder. Lori, assise en silence, ne parlait que lorsque quelqu'un lui adressait la parole. David était las. Il regardait Claudia et Conrad et, de temps à autre, tentait de flirter avec Lori au cas où Claudia le regarderait.

À deux heures, Linda était fatiguée et bâillait.

— Je crois qu'il est l'heure de rentrer ; je suis crevée.

Personne d'autre ne semblant vouloir partir, ils firent leurs adieux. Claudia dit au revoir avec un sourire éméché et tourna son attention vers Conrad qui, à ce stade-ci, était tout aussi saoul qu'elle.

Jay insista pour les accompagner à leur voiture où ils échangèrent leurs numéros de téléphone en se promettant de se revoir bientôt.

Ils étaient enfin seuls. Linda s'adossa confortablement contre le dossier de son siège et ferma les yeux.

David avait besoin de s'en prendre à quelqu'un.

— Toi et ce réalisateur bidon sembliez vous entendre très bien, affirma-t-il sans trop y croire.

Elle ouvrit les yeux.

— Pas plus que toi avec cette traînée de mannequin de savon.

Il lui jeta un regard sombre.

— Je ne lui ai même pas adressé la parole. Je ne sais pas ce que tu veux dire.

— Franchement, David.

Elle soupira.

— Tu n'as même pas parlé à personne tant tu étais contrarié de la voir avec Conrad Lee. C'était tellement évident, même aux yeux d'un aveugle.

Elle fit une pause.

— L'as-tu déjà emmenée manger ? ajouta-t-elle avec curiosité.

Il fixa furieusement la route devant.

— Quelle question ridicule.

— Je me la posais simplement. Tu semblais tellement t'intéresser à elle. Même à la première fête, tu semblais comploter continuellement avec elle.

— Elle travaille pour nous, Linda. J'essayais simplement de m'assurer que la présentation allait se dérouler sans accroc, c'est tout.

Le silence s'installa entre eux. Il alluma la radio.

— Mon chéri, dit Linda aussitôt, hésitante, qu'est-ce qui ne va pas ?

— Que veux-tu dire, qu'est-ce qui ne va pas ?

— Je veux dire, qu'est-ce qui ne va pas entre nous ? Qu'est-ce qui nous arrive ? Pourquoi ce grand fossé entre nous tout à coup ?

Il éteignit la radio.

— Je ne savais qu'il y avait un si grand fossé entre nous.

Elle tourna la tête pour regarder dehors. Ils roulaient à travers le parc, et les arbres étaient sombres et menaçants sur leur passage.

— C'est étrange, David. J'imagine que ça a commencé il y a plusieurs années. Or, ni toi ni moi ne l'avons réalisé, ni toi ni moi n'avons tenté d'y mettre un frein. Nous sommes devenus des étrangers, et tout ce que nous avons en commun, ce sont les enfants.

— Je crois que tu es exténuée ; tu racontes beaucoup de sottises.

— Beaucoup de sottises, répéta-t-elle. Est-ce vraiment ce que tu penses ?

Des larmes se mirent à couler sur ses joues.

— À quand remonte la dernière fois où tu m'as fait l'amour ? À quand remonte la dernière fois que tu en as eu envie ?

— Ah, c'est ça, le problème, alors.

Elle luttait pour maîtriser ses larmes.

— Non, ce n'est pas ça, le problème, mais ça en fait partie.

Il rangea la voiture sur l'accotement et se tourna vers elle. Que pouvait-il bien lui dire ? Qu'elle ne l'attirait plus ? Que Claudia était plus douée au lit ? En fait, elle avait raison ; un grand fossé les séparait.

— Te souviens-tu de notre lune de miel ? lui demanda-t-elle.

Oui, il se souvenait de leur lune de miel. C'était en Espagne. Il y faisait chaud et humide, les nuits étaient longues et remplies de plaisirs avec Linda, une jeune Linda tout innocente qui faisait naître en lui toutes sortes de désirs et d'ambitions.

— Oui, je me souviens de notre lune de miel, dit-il doucement.

— Pourquoi les choses ne peuvent-elles pas redevenir comme avant ?

Elle lui jeta un regard suppliant.

— Linda, nous avons tous deux dix ans de plus. Les choses ne restent pas immobiles, tu sais.

— Je le sais.

Elle se dit à elle-même : « Paul me fait sentir plus jeune de dix ans. Il me fait sentir attrayante et désirable. Il me donne le sentiment d'être désirée. »

David interrompit ses pensées.

— Il vaudrait mieux que l'on rentre à la maison. Je dois aller tôt au bureau demain.

— D'accord.

Elle pensait en elle-même : « Pourquoi ne me prends-tu pas dans tes bras ? Pourquoi ne me jettes-tu pas sur le siège arrière pour m'y faire l'amour ? Pourquoi n'es-tu pas préoccupé par mes besoins ? »

Ils roulèrent ainsi, dans un silence inconfortable, tous deux conscients qu'il y avait beaucoup de choses qui n'avaient pas été dites. La maison semblait froide et sombre. Linda alla voir les enfants dans leur lit. Jane dormait en fœtus, sa bouche fermement refermée sur son pouce. Stephen avait enlevé toutes ses couvertures et était presque tombé du lit. Elle le recouvrit et lui donna un léger baiser sur le front. Ils étaient si innocents, ses deux merveilleux enfants. Si jeunes et si purs.

David prenait une douche. Linda se dévêtit et se glissa entre les draps. Elle se demandait si ce qu'elle lui avait dit dans la voiture ferait en sorte qu'il voudrait lui faire l'amour ce soir.

Il ne le voulait pas. Il revint de la salle de bain, se mit au lit, éteignit la lumière, marmonna « bonne nuit » et s'endormit presque aussitôt.

Elle resta allongée, en colère et frustrée. J'ai essayé, se dit-elle. J'ai vraiment essayé de lui parler. Mais il ne semble pas se préoccuper de ce qui se passe entre nous, et ça ne semble pas le déranger.

* * *

À l'aube le lendemain, il faisait un temps gris et pluvieux.

David se leva à sept heures. Il réussit à se raser, à se doucher et à s'habiller sans réveiller Linda. Il était huit heures lorsqu'il quitta la maison. Elle se réveilla peu après. Jane était debout à côté du lit.

— Maman, est-ce que je peux avoir un câlin ? demanda la fillette en se glissant sous les draps.

— Bien sûr, ma poulette.

— Je déteste Stevie, lui confia Jane. C'est un garçon méchant et rude. J'aimerais que les garçons soient des filles !

— C'est une très bonne idée, répliqua Linda en souriant.

Le matin fut une rafale de corvées à faire. Les enfants retournaient à l'école le lendemain ; il y avait les uniformes à préparer, les livres à trouver, tout était à laver et à nettoyer.

Linda n'avait pas le temps de penser. Elle avait aussi promis aux enfants de les emmener au cinéma dans l'après-midi.

Paul n'avait pas laissé de message. Elle était à la fois blessée et soulagée.

À leur retour du cinéma, elle téléphona à David. Il n'était pas au bureau ; elle lui laissa donc un message de la rappeler dès son retour. Jay Grossman avait téléphoné et laissé un message. Elle le rappela.

— Nous nous demandions si toi et David aimeriez manger avec nous demain soir ? dit-il. Lori brûle d'envie d'aller au Savoy Grill. Il paraît que l'endroit est fréquenté par la princesse Margaret, et Lori s'imagine que nous avons de bonnes chances d'être assis à la table à côté de la sienne !

Linda rit.

— Je dois vérifier auprès de David. Peux-tu me rappeler plus tard ?

Il était passé dix-neuf heures lorsque David rappela.

— Je vais rentrer tard, se contenta-t-il de lui dire.

— Très tard ?

— Je ne sais pas ; probablement vers minuit.

— Où dois-tu aller ?

La colère s'entendait dans sa voix.

— Est-ce un interrogatoire ?

— Non, ce n'est pas un interrogatoire, mais je crois que j'ai le droit de savoir pourquoi tu vas rentrer tard, répliqua-t-elle froidement.

Après une pause, il lui répondit :

— Excuse-moi. Bien sûr que tu as le droit. Je suis fatigué, j'imagine. En fait, j'ai une réunion tard en soirée avec Phillip.

— Pourquoi ne pas venir travailler ici ? Je pourrais vous préparer à souper.

— Non, ça va. On va se prendre un sandwich à côté et travailler.

— À plus tard, donc.

— Oui. Ne m'attends pas pour aller te coucher.

Il fit une pause.

— Comment vont les enfants ?

— Ils vont bien. Énervés à cause de leur retour en classe demain.

— Embrasse-les pour moi. Au revoir.

— Au revoir.

Elle raccrocha et bâilla. Je ne me coucherai pas tard, se dit-elle, mais elle se souvint que Jay allait la rappeler à propos du souper du lendemain. Elle se dépêcha pour rappeler David à son numéro privé au bureau. Au bout de plusieurs sonneries, elle raccrocha.

Elle alla chercher le numéro de téléphone de Phillip dans le bottin. David était probablement dans son bureau. Le numéro de Phillip à son bureau n'y était pas, mais il y avait son numéro à la maison, qu'elle composa. Mary, la femme de Phillip, répondit.

— Je suis désolée de te déranger, dit Linda. Pourrais-tu me donner le numéro privé de Phillip à son bureau.

— Bien sûr, répondit Mary, quelque peu surprise. Je l'attends d'une minute à l'autre ; je ne crois pas que tu réussiras à le joindre.

C'était au tour de Linda d'être surprise.

— Il ne travaille pas avec David ce soir ?

— Non, il va bientôt entrer à la maison, car nous recevons sa mère à souper. Il devrait arriver sous peu.

— Oh... J'ai sûrement fait erreur, dit-elle doucement.

— Attends une seconde, dit Mary. Je crois que c'est lui que j'entends.

Linda resta accrochée à l'autre bout du fil, ahurie. Elle était stupéfaite. David lui mentait. Pourquoi lui mentait-il? Et depuis quand? Et pourquoi apprenait-elle cela maintenant, alors qu'elle avait elle-même été infidèle? Il avait une maîtresse, c'était évident. Elle avait la nausée.

La voix éraillée de Phillip retentit dans le combiné.

— Allo, Linda. Qu'est-ce qui ne va pas?

Elle s'efforça de garder un ton de voix léger.

— Il n'y a pas de problème, Phillip, j'essaie juste de joindre David. Je croyais qu'il m'avait dit qu'il travaillait avec toi, mais j'ai sûrement mal compris.

Phillip semblait mal à l'aise.

— Je ne peux pas t'aider. David a quitté le bureau tôt aujourd'hui; il est probablement avec monsieur Smythson ou quelqu'un du Nord. Un grand nombre de gens viennent nous visiter cette semaine, semble-t-il.

— Merci, Phillip, dit Linda.

Elle aurait aimé ajouter qu'il n'avait pas à essayer de le protéger. Elle lui dit à la place:

— Tu as sûrement raison. Au revoir.

Elle venait d'obtenir la réponse à ses questions. Tout s'expliquait maintenant: les longues soirées au travail, les voyages d'affaires, son absence d'attirance physique pour elle... Inconsciemment, cela expliquait sans doute pourquoi elle s'était retrouvée dans le lit de Paul. On raconte qu'à un certain stade de son mariage, la femme se trouve à la croisée des chemins: elle doit alors décider, ou non, de coucher avec quelqu'un et que, selon l'état de son mariage à ce moment-là, elle prend sa décision.

À vrai dire, se dit Linda, si la situation avait été différente avec David, je n'aurais jamais arrêté mon regard sur Paul.

Tout semblait injuste, et le comble était que Paul ne l'avait même pas rappelée. Elle se sentit utilisée, par les deux hommes. Que devait-elle faire à présent ? Elle n'en avait aucune idée. Elle était sur le point de verser de grosses larmes, inutilement.

Chapitre 7

David se réveilla tôt le mardi matin avec une seule idée en tête : sortir de la maison, trouver un téléphone et appeler Claudia.

Il était sept heures et Linda dormait paisiblement, si paisiblement, en fait, qu'il songea à utiliser le téléphone de la maison. Le danger évident que cela comportait lui fit changer d'idée.

Il se rasa, prit sa douche, s'habilla rapidement et quitta la maison. Il conduisit aussi loin que possible de la rue Baker avant d'arrêter à un téléphone public. Il composa le numéro et laissa sonner, mais personne ne répondit. Il composa le numéro à nouveau, mais n'obtint toujours pas de réponse. Il laissa le téléphone sonner encore plus longtemps, mais en vain. Finalement, il en conclut qu'elle était soit sortie ou dormait d'un sommeil très profond.

Il retourna dans sa voiture et prit soudainement la décision de se rendre à son appartement.

Cette fois-ci, personne ne vint répondre lorsqu'il sonna à la porte.

— Garce ! marmonna-t-il. Sale petite garce !

Il poireauta à l'extérieur de l'appartement pendant un moment et, se rendant compte de la futilité de la chose, il reprit le volant et conduisit à contrecœur jusqu'au bureau.

Il composa son numéro toutes les demi-heures, devenant de plus en plus furieux chaque fois que son appel restait sans réponse. À onze heures, la femme de ménage répondit.

— Mademoiselle Parker, l'apostropha-t-il.

L'accent de la voix à l'autre bout du fil était à couper au couteau.

— Je pense qu'elle dort. Attendez un instant, je vais voir.

Elle revint peu après.

— Elle n'est pas là, dit-elle. Un message ?

— Vous ne sauriez pas par hasard à quelle heure elle est sortie ?

— Aucune idée. Je ne pense pas qu'elle soit passée à l'appartement depuis hier ; son lit n'est pas défait.

— Merci, dit-il. Il n'y a pas de message.

Il l'imaginait avec Conrad. Son corps lisse et magnifique plaqué contre le sien se prêtant aux mouvements de l'acte sexuel dont elle était passée maître. Il pouvait presque entendre ses petits cris exquis d'excitation, ses gémissements et sa façon de murmurer des mots un peu obscènes de sa voix basse et rauque. Il jura.

Par la suite, il l'appela toutes les heures, raccrochant lorsque la femme de ménage répondait. Il était furieux envers lui-même d'être si dépendant de chacun des faits et gestes de Claudia. Il s'était toujours fait un point d'honneur de ne pas s'impliquer sur le plan émotionnel avec ses conquêtes, d'avoir toujours réussi à mettre les gens à l'écart quand ils ne lui étaient plus utiles. Cette fois-ci, c'était différent. Peu importe ce que faisait Claudia, il n'arrivait pas à la chasser de son esprit.

Il était seize heures lorsqu'elle répondit finalement au téléphone. Le volume de la musique était à son maximum et elle semblait être de bonne humeur.

— Allo ?... Allo, il y a quelqu'un ?

Après une autre pause, elle dit : « Allez-vous faire foutre, qui que vous soyez ! » et elle raccrocha brusquement.

Il quitta aussitôt le bureau et conduisit jusque chez elle. Il ne voulait pas se quereller au téléphone, il voulait la voir, entendre ses excuses, la regarder mentir.

Elle ouvrit la porte d'entrée et eut l'air surprise et un peu coupable de le voir. Elle portait des pantalons blancs très moulants et un chandail noir très ample. Son visage était dépourvu de maquillage et, bien qu'elle eût l'air fatiguée, ses magnifiques yeux verts étaient animés d'un regard triomphant.

— Quelle surprise ! dit-elle. Entre !

Il la suivit jusque dans l'appartement. *Satisfaction* des Rolling Stones jouait à plein volume. Une bouteille à demi-pleine de scotch et un immense caniche en peluche rose se trouvaient sur la table.

— Tu veux un verre ? lui demanda-t-elle.

— Il est seize heures, dit-il sèchement.

— Oh, ma foi ! marmonna-t-elle sur le ton d'une petite fille se faisant prendre à manigancer un mauvais coup.

Elle se versa une bonne mesure de scotch, alluma une cigarette et s'affala par terre.

— Alors, David, t'as quelque chose à me dire ?

— Oui, j'ai en effet quelque chose à te dire.

Il arpentait la pièce furieusement.

— De nombreuses choses, précisa-t-il.

Elle gloussa.

— Veux-tu bien cesser cette comédie du mari lésé. Je te l'ai pourtant dit: je ne suis liée à personne. Tu sais aussi que je ne tolère pas qu'un homme me dise quoi faire.

Il secoua la tête.

— Je ne comprends pas. Tu agis parfois comme une vulgaire pute.

Elle se tourna sur le ventre, tira longuement sur sa cigarette, et souffla la fumée vers lui.

— Je suis de très bonne humeur aujourd'hui, dit-elle calmement. Rien ne viendra assombrir mon état d'esprit, même pas toi.

Elle se tourna sur le dos et s'étira, le contour de ses seins fermes se dévoilant sous son chandail. Il sentit son désir brûlant habituel le gagner.

— Conrad Lee est un homme très important et il va faire beaucoup pour moi.

— Bien sûr qu'il va se démener pour toi, dit David sur un ton amer. Il va se démener pour toi au lit, en effet.

— Je vais passer une audition cette semaine pour son prochain film. Que dis-tu de ça?

— Ouais, ouais...

— Tu es jaloux, c'est tout. Tu vas voir... Il va faire de moi une vedette.

— Tu te ridiculises. Le réalisateur du film a dit que le passe-temps préféré de Conrad est d'embobiner des petites filles comme toi.

— Mais voyons donc, mon cher David. Je n'ai rien d'une petite fille et je ne suis pas dupe. Je connais très bien les règles; tu devrais pourtant le savoir.

— Il était comment au lit?

Ses yeux rencontrèrent ceux de David. Ils étaient grands, verts et lumineux.

— Il ne t'arrive même pas à la cheville.

Elle se leva et l'enveloppa de ses bras.

— Personne ne t'arrive à la cheville, susurra-t-elle, ni maintenant ni dans le passé.

La querelle était terminée. Ils firent l'amour lentement, avec chaleur et tendresse. Après, ils restèrent allongés sur le plancher là où il l'avait prise, enlacés. Elle l'embrassa doucement.

— Tu dois comprendre, murmura-t-elle, ça ne veut pas dire que je ne t'aime pas. Lorsque je couche avec lui, ce n'est rien. C'est un porc, un vieux porc. Mais, chéri, je veux jouer dans son film. Je le veux tellement, et ça va arriver, je te le promets.

Il posa ses mains sur ses adorables seins.

— Tu es tellement belle que lorsque je suis avec toi, ce que tu as fait m'importe peu. Alors, organise-toi pour jouer dans ce satané film, si c'est ce que tu veux à tout prix. Mais ne couche pas avec lui ni avec qui que ce soit d'autre ou je vais te donner une sacrée volée !

Elle pressa davantage son corps contre le sien.

— J'adore te voir jouer les durs.

Il est impossible, songea-t-il, vraiment impossible que cela reprenne si rapidement, et que ce soit d'autant meilleur. Elle est comme une tigresse. Elle devrait être mise en cage au zoo pour être admirée par tous, car, voir c'est croire. Et une affiche devrait être collée à sa cage : « Ne pas nourrir. Mange seulement les hommes. »

De but en blanc, Claudia dit :

— Ta femme est très jolie, n'est-ce pas ?

— Elle l'a déjà été. Je suppose qu'elle l'est encore.

— Quel âge a-t-elle ? demanda Claudia de façon typiquement féminine.

Il n'avait aucune envie de parler de Linda.

— Dans la trentaine, j'imagine.

— Je me demande bien de quoi j'aurai l'air à trente ans !

Heureusement pour lui, le téléphone sonna. Claudia souleva le combiné à contrecœur.

— Ah, bonjour, dit-elle d'un ton doux.

Elle jeta un regard rapide vers David. Il se demanda aussitôt qui était à l'autre bout du fil.

— J'aimerais bien, disait-elle. Vers quelle heure ?

Elle coinça le combiné sous son menton et chercha à tâtons une cigarette sur la table.

— Entendu. À demain. J'ai bien hâte.

Elle raccrocha le téléphone.

— Je meurs de faim ! s'exclama-t-elle. J'ai envie qu'on s'offre un souper exceptionnel.

— Qui était-ce ? demanda-t-il, s'efforçant de garder un ton léger.

— Qui était quoi ? rétorqua-t-elle, sachant très bien ce qu'il demandait.

— Au téléphone.

Elle hésita une petite seconde de trop.

— Mon agent. Il m'invite à souper avec lui et sa femme demain soir.

— C'est sympathique de sa part de t'inviter à souper juste comme ça.

— Oui, juste comme ça, répondit-elle patiemment. En fait, je lui ai téléphoné plus tôt pour lui dire que je voulais le rencontrer pour lui parler de ce projet avec Conrad. Je vais prendre un long bain. Est-ce qu'on peut sortir après ou es-tu pressé de rentrer à la maison ?

Il se disait qu'elle mentait, mais cela ne servirait à rien de se disputer avec elle.

— Est-ce que tu veux que je me libère ?

— Bien sûr, sinon je ne te l'aurais pas demandé.

— Je vais appeler à la maison. Où as-tu envie d'aller ? Je vais réserver une table.

— Allons à un endroit hors de l'ordinaire pour faire changement. Il faut toujours se cacher dans un endroit miteux. Qu'est-ce que ça peut bien faire qu'on nous voit ensemble ? Je suis après tout mademoiselle Beauty Maid, c'est-à-dire que l'on sort ensemble par affaires. Allons chez Carlo's.

Carlo's était un restaurant italien très cher et très en vogue. C'était le lieu incontournable de l'heure, l'endroit où être vu. David savait à quel point il était risqué pour lui d'aller là avec Claudia. Il allait sûrement croiser des gens qu'il connaissait. Par contre, il voulait être vu avec Claudia. Il voulait que les gens sachent qu'elle lui appartenait.

— D'accord. Va te faire une beauté ; je vais réserver une table pour vingt heures.

Elle lui donna un petit baiser.

— C'est exquis, mon chéri.

Il lui donna une petite tape sur les fesses.

— Va t'habiller, sinon on ne sortira jamais d'ici !

Elle se précipita vers la salle de bain en gloussant.

Il lut les journaux du soir et réserva une table au restaurant. Il se sentait coupable de devoir appeler Linda, mais il le fit tout de même. Il s'emporta lorsqu'elle lui demanda ce qu'il avait à faire. Il lui raconta un mensonge convenable, se sentit mal, demanda comment se portaient les enfants pour se donner bonne conscience et raccrocha.

Claudia réapparut après un moment, métamorphosée. Ses soyeux cheveux blond cendré formaient un chignon savamment désordonné sur sa tête, et son maquillage était lisse et parfait. Elle avait enfilé une robe noire moulante et plusieurs rangées de perles. Elle était éblouissante.

David la complimenta, et elle sourit en se trémoussant, mettant en valeur sa robe, tourbillonnant autour de la pièce comme un bel oiseau exotique.

— C'est tellement excitant d'aller quelque part de bien ensemble ! s'exclama-t-elle. J'aimerais tellement qu'on puisse le faire plus souvent.

Dans la voiture en route vers le restaurant, il eut des remords. C'était complètement idiot d'aller là. Linda allait assurément l'apprendre, et il y aurait des conséquences. Surtout que leur mariage était un sujet sensible pour elle depuis quelque temps. Il jeta un regard rapide vers Claudia. Elle essayait de trouver de la musique à la radio.

— Pourquoi n'irions-nous pas plutôt à un bel endroit en campagne ?

Elle le fixa avec ses grands yeux devenus sévères.

— Je savais que tu changerais d'idée. Va à la campagne. Laisse-moi ici. J'en ai assez de me cacher.

— D'accord, allons chez Carlo's. Au diable, se dit-il.

Linda ne l'apprendrait probablement pas. On raconte que les femmes sont toujours les dernières à l'apprendre.

Le restaurant était bondé. Le maître d'hôtel leur dit que leur table serait prête dans quelques minutes. Ils s'installèrent donc au bar. Claudia salua plusieurs personnes.

David, pour sa part, était soulagé de ne voir personne qu'il connaissait.

Une fille les approcha, traînant derrière elle un jeune homme maigrichon. Elle était mince et bronzée, et fort jolie.

— Superbe ! dit-elle à Claudia. Tu es absolument splendide ! Où étais-tu bien passée ? Ça fait des lunes que je ne t'ai vue !

Elle tira son petit copain à ses côtés.

— Tu te souviens de Jeremy.

Jeremy rougit et dit « Allo » en bégayant.

— Nous sommes fiancés ! Tu t'imagines !

Elle glousse et donna un coup de coude enjoué dans les côtes de Jeremy. Il avait l'air extrêmement gêné.

— Shirley ! s'exclama Claudia. C'est merveilleux !

Elle se tourna vers David.

— Shirl, ma très chère, je te présente David Cooper, un ami de très longue date.

Shirley lui tendit une petite main bronzée que David serra brièvement.

Claudia poursuivit.

— David, je te présente le fiancé de Shirley, l'honorable Jeremy Francis.

Jeremy s'approcha timidement.

— Très heureux de faire ta connaissance, mon vieux.

Il avait la peau couleur sable et parsemée de boutons d'acné rouge écarlate.

— Assoyez-vous et prenez un verre, dit Claudia. Il faut célébrer !

Ils trouvèrent des chaises supplémentaires et s'assirent. Les filles se tournèrent aussitôt l'une vers l'autre pour parler des robes qu'elles portaient. L'honorable Jeremy s'assit inconfortablement au bout de sa chaise. Il était extrêmement grand, et ses genoux frappaient ceux de David sous la table.

— Nous allons avoir un énorme mariage, s'exclama Shirley. Tout sera simplement formidable. Les parents de Jeremy connaissent absolument tout le monde !

Elle fit briller une grosse bague d'émeraude et de diamant sous les yeux de Claudia.

— Regarde ! dit-elle de façon théâtrale. Asprey's !

— Elle est sublime, déclara Claudia. J'adore. Je suis tellement heureuse pour vous deux.

— Et toi ? Que se passe-t-il avec toi ? lui demanda Shirley en jetant un regard franc en direction de David.

Claudia s'esclaffa.

— Tu sais ce que je pense du mariage. Ce n'est pas pour moi, ma très chère. J'aime être célibataire. De toute façon, c'est toi qui as mis le grappin sur Jeremy en premier !

Jeremy rougit, dûment flatté. David se leva.

— Je crois que notre table est prête.

— Vous avez réservé ? dit Shirley avec envie. Nous, nous avons oublié et nous devrons donc attendre une éternité, et je suis affamée.

Elle hésita quelques secondes.

— Dites donc, pourquoi ne mangerions-nous pas ensemble ? Je ne t'ai pas vue depuis des lustres, Claudia, et ça serait bien agréable !

— Nous avons une table pour deux, dit David d'un air grave.

— Nous, ça ne nous ennuie pas d'être un peu à l'étroit, n'est-ce pas, Jeremy ?

Jeremy hocha la tête, l'air un peu ébahi.

— Qu'en dites-vous ?

Shirley se tourna vers Claudia qui regarda David d'un air suppliant.

— D'accord, ça nous plairait beaucoup.

Ils suivirent le serveur jusqu'à leur table. Shirley envoya la main et sourit à plusieurs personnes sur son passage.

— Cet endroit est tout simplement merveilleux, dit-elle à Claudia lorsqu'ils furent arrivés à la table. Je suis convaincue qu'une personne qui resterait assise ici pendant une semaine verrait passer tous les gens qu'elle ait jamais connus, comme à l'aéroport de Londres !

Elle gloussa très fort.

David resta silencieux pendant tout le repas et Jeremy n'avait pas grand-chose à dire. Shirley monopolisa donc la discussion à laquelle Claudia mettait son grain de sel de temps en temps. Shirley était une lectrice avide du magazine *Queen*, surtout de la rubrique mondaine, et ses sujets de conversation se résumaient à qui avait été vu avec qui et aux réceptions. Apparemment, Jeremy était invité à la plupart de ces réceptions, et Shirley se plut à entrer dans les moindres détails à propos des choses les plus ennuyeuses. Par exemple, que Lady Clarissa Colt avait porté la même robe à deux fêtes, et aussi que l'honorable Amanda Lawrence avait manqué de champagne lors d'une soirée.

— C'était franchement horrible, gémit Shirley. Il ne faut jamais, au grand jamais manquer de champagne ! C'est beaucoup trop embarrassant !

Lorsque le moment du dessert fut arrivé, Jeremy emmena Shirley sur le petit plancher de danse où ils se collèrent mollement l'un à l'autre.

— Sortons d'ici, dit David. J'en ai ras le bol d'entendre cette prétentieuse idiote déblatérer des inepties.

— Je suis désolée, mon chéri, répliqua Claudia sur un ton apaisant. Elle en met un peu trop, j'en conviens.

— Un peu? C'est un euphémisme, s'il m'a déjà été donné d'en entendre un. Qui est-elle, au fait?

Claudia esquissa un sourire.

— Quand je suis arrivée à Londres, j'ai travaillé dans un bar de danseuses et mademoiselle Plus-haut-que-le-trou y travaillait, elle aussi.

— Que faisais-tu dans un tel endroit? demanda David, étonné.

— J'avais besoin de gagner ma vie, et l'acteur avec qui j'étais arrivée ne semblait jamais travailler, alors j'ai pris un boulot dans un bar.

— Qu'y faisais-tu?

— La danse des sept voiles! dit-elle en riant.

— Quoi? Tu blagues.

Son sourire s'évanouit légèrement.

— Je ne blague pas. Je n'avais aucun autre talent. C'était ça ou être hôtesse et me faire caresser par d'innombrables vieux cochons. L'idée d'enlever mes vêtements me souriait beaucoup plus. Ils pouvaient regarder, mais n'avaient pas le droit de toucher.

— À bien y penser, je ne sais à peu près rien à ton sujet.

Le regard dans ses grands yeux devint soudainement distant.

— Tu ne t'es jamais donné la peine d'écouter. Comme tous les autres, tu veux coucher avec moi le plus rapidement possible.

Après un court silence, elle fit entendre un petit rire sec.

— Excuse-moi. Mon passé n'a vraiment rien d'intéressant, alors pourquoi voudrais-tu en entendre parler de toute façon ?

David s'apprêtait à répondre lorsque Shirley et Jeremy revinrent de la piste de danse.

— Jeremy a fait une excellente proposition, dit Shirley. Il y a une merveilleuse petite boîte de nuit à Windsor. Il suggère qu'on y aille tous.

David la regarda aigrement.

— Au château, bien sûr.

Les yeux bleu pâle de Shirley se mirent à briller de colère, mais elle fit la moue et ricana.

— Non, mon cher, pas au château.

— Ne comptez pas sur nous, alors, rétorqua David.

— En es-tu bien sûr, mon vieux ? bégaya Jeremy.

Claudia intervint rapidement dans la conversation.

— David est fatigué. Allez-y vous deux, et si nous changeons d'idée, nous irons vous rejoindre plus tard.

— D'accord, dit Shirley. Mais essayez quand même de venir.

Elle agrippa Jeremy par le bras.

— Viens-t'en, mon lapin. Laissons ces deux tourtereaux tout seuls.

Elle lança un regard sombre à David, salua de la main gaiement Claudia et sortit en remorquant Jeremy. Claudia se mit à rire.

— Je ne trouve pas ça particulièrement drôle, affirma David gravement. J'imagine qu'on m'a aussi refilé l'addition. Merci mille fois pour une soirée délicieuse.

Claudia se mit à rire de plus belle.

— Je suis désolée, mais avoue que c'est drôle. Si tu avais connu Shirley il y a quelques années, eh bien, tu ne le croirais pas. Elle appartenait à n'importe qui et à tout le monde !

— Et toi ? rétorqua David sur un ton glacial.

Elle cessa brusquement de rire. Elle le regarda pendant quelques secondes et lui répondit, lentement et délibérément :

— Je crois que nous sommes arrivés à la fin de notre relation, si c'était en fait bien ça que nous avions.

Avant qu'il n'ait la chance de répondre, elle se leva de la table et, slalomant entre les tables du restaurant, disparut de la vue de David. Il demanda rapidement l'addition.

— David Cooper, c'est bien vous ?

La voix forte était celle d'un Américain.

David avait l'air surpris. Debout devant lui se tenait Jay Grossman.

— Eh bien, bonsoir, répondit-il mal à l'aise.

— Où est Linda ?

Jay fixa du regard la place tout récemment occupée de l'autre côté de la table.

David se demanda s'il avait vu Claudia partir, mais en conclut que non, sinon, comme Jay n'était qu'une connaissance, il n'aurait jamais fait une remarque aussi explicite.

— Elle est à la maison, dit David, en montrant le reste de la table. J'avais une réunion d'affaires avec des gens et ils étaient tous pressés de partir.

À ce moment-là, le serveur lui remit l'addition.

David mit de l'argent sur la table et se leva rapidement.

— Ça m'a fait plaisir de te voir, Jay.

Or, Jay n'avait pas l'intention de le laisser s'esquiver.

— Viens saluer Lori. Elle serait très contrariée de savoir que je t'avais vu sans t'inviter à prendre un verre avec nous.

— Une minute seulement, dit David avec réticence. Linda m'attend à la maison.

Les Grossman étaient assis à une table de l'autre côté de la salle. David était soulagé de constater qu'ils ne pouvaient voir sa table d'où ils étaient assis. Jay l'avait aperçu par hasard en revenant de la toilette des hommes.

Lori avait l'air distant. Elle était parfaitement soignée comme toujours, chaque mèche lustrée de ses cheveux méticuleusement placée, son visage impeccablement maquillé. Elle portait une robe de chiffon brun pâle dont le profond décolleté révélait le galbe de ses seins.

— Ravi de vous revoir, dit David, incapable de détacher ses yeux de son encolure dégagée.

— Pareillement, répliqua-t-elle avec son accent faiblement aguichant et insipide.

— Allez, allez, assieds-toi et prends un verre, dit Jay.

— C'est que...

Il chercha follement une excuse, ne réussit pas à en trouver une et, de toute façon, pourquoi pas. Les yeux toujours rivés sur le décolleté de Lori, il s'assit.

— Qu'est-ce qui te ferait plaisir ? demanda Jay.

— Un scotch sur glace.

Jay fit signe au serveur pendant que Lori sortait de son sac un petit boîtier doré pour retoucher son maquillage déjà impeccable.

— J'ai parlé à Linda plus tôt, dit Jay. Elle m'a dit qu'elle te parlerait de notre invitation à souper avec nous demain soir.

— Ah..., dit David, indifférent.

Il pensait d'une part au fait que Claudia l'avait plaqué – la garce ! – et d'autre part à la grande attirance que la glaciale et sotte madame Grossman exerçait sur lui. Il s'imaginait la mettre dans son lit et pénétrer les couches de maquillage, de faux cils et de postiches.

— Où avez-vous envie d'aller ?

— Lori aime bien l'idée du Savoy Grill.

— Ouais, dit Lori en déposant son boîtier pour un bref instant. J'ai entendu dire que c'est fantastique, qu'on peut y voir la princesse Margaret et le mec mignon à qui elle est mariée.

— Ils n'y tiennent pas vraiment un cabaret, dit David en souriant, mais c'est vrai qu'ils y vont de temps à autre,

— Devrions-nous nous rencontrer à notre hôtel ? dit Jay.

Ils bavardèrent encore un peu avant que David demande d'être excusé et tire finalement sa révérence. Il donna un pourboire au préposé du stationnement et s'assit derrière le volant, se sentant morose. Qu'elle aille se faire foutre, mademoiselle Jambes-en-l'air Parker. Elle commençait à exagérer. Elle l'avait d'abord convaincu d'aller à un restaurant où il n'avait aucune envie d'aller. Elle lui avait ensuite imposé la présence de ses amis ennuyeux à mourir. Ensuite, après lui avoir avoué avoir travaillé dans un club de danseuses nues, elle s'était offusquée lorsqu'il lui avait fait un commentaire à ce sujet. Et puis elle avait eu l'insolence de le quitter ! Et la cerise sur le gâteau, elle avait couché la veille avec ce gros lard de producteur. Elle n'était qu'une dévergondée, une vicieuse. S'il ne faisait pas attention, elle pourrait même lui transmettre une saleté.

Elle pouvait bien aller se faire voir. Il allait rentrer à la maison.

Il se dirigea vers Hampstead. Il était vingt-deux heures.

Chapitre 8

Linda cessa de pleurer après un moment. Pleurer ne la mènerait nulle part. Elle alla dans la salle de bain et se lava le visage. Elle se regarda dans le miroir. Elle ne savait pas quoi faire. Elle savait cependant qu'elle ne pouvait pas rester là à attendre que David rentre finalement à la maison après avoir été dans les bras d'une putain. Elle n'avait personne à qui téléphoner. Depuis qu'elle s'était mariée, elle avait peu à peu perdu contact avec toutes ses amies ; elles s'étaient toutes éloignées les unes des autres, s'étaient mariées et avaient déménagé dans différents coins du pays. Elle songea à appeler sa mère, mais se confier à elle serait ridicule. Sa mère n'avait jamais vraiment aimé David et cela ne ferait que confirmer l'opinion qu'elle avait de lui. En désespoir de cause, elle téléphona à Monica.

Celle-ci fut distante.

— Charmant, tout à fait charmant que vous soyez restés cinq minutes avant de partir avec mes invités les plus importants. Vraiment, ma chère ; c'était un peu bizarre.

Leur conversation fut brève, et lorsque Linda raccrocha, elle se dit, au diable, je ne suis pas une enfant. Elle prit le téléphone pour composer le numéro de Paul ; il décrocha aussitôt.

— Allo.

Elle prit peur, figea, et ne répondit pas. Prise de panique, elle raccrocha.

Il la rappela aussitôt.

— Linda, c'est Paul; je sais que tu viens de me téléphoner.

Elle fut prise au dépourvu.

— Écoute, j'attendais que tu m'appelles. Je savais que tu le ferais. Est-ce que je peux te voir? Peux-tu venir ici?

— Quand? marmonna-t-elle.

— Pourquoi pas tout de suite.

— Je ne sais pas...

— S'il te plaît, je dois te parler.

— D'accord. J'y serai dans une demi-heure.

— Parfait.

Il lui donna son adresse au cas où elle l'aurait oubliée.

Elle était surprise. Son égo lui avait dit qu'il se souviendrait d'elle, mais elle ne s'attendait pas à ce qu'il compte la revoir, espérant qu'elle appelle.

Elle se prépara en deux temps, trois mouvements pour ne pas risquer de changer d'idée, et se rendit en voiture chez lui, à cinq minutes de chez elle.

Il habitait dans une vieille maison convertie en appartements, en sandwich entre une boucherie et une clinique vétérinaire dans la rue Principale. Elle gravit cinq volées d'escaliers pour parvenir à l'appartement numéro 8.

Il ouvrit la porte aussitôt qu'il l'entendit frapper.

— Je ne sais pas vraiment ce que je fais ici, laissa-t-elle échapper.

Il la prit par la main et l'emmena à l'intérieur.

— Tu es très jolie. J'étais en train de devenir fou à attendre que tu appelles.

— Pourquoi ne m'as-tu pas appelée toi-même ?

— Écoute, Linda, je comprends ta situation. Je ne veux pas te mettre dans une position difficile. C'était à toi de faire le prochain pas.

Elle se sentait très jeune avec Paul, bien qu'elle se donnait une bonne dizaine d'années de plus que lui.

— Je ne sais rien à ton sujet, murmura-t-elle.

— Tu dis toujours ça, répliqua-t-il.

Il portait des Levi's délavés tachés de peinture et un chandail blanc. Il était très séduisant.

Ils étaient debout dans une petite pièce sombre aux murs noirs auxquels étaient accrochés de nombreux tableaux, certains encadrés, d'autres non, des nus, en grande partie, de femmes au visage mince, à l'immense crinière et au corps voluptueux. L'ameublement se résumait à une table de salle à manger danoise en teck – ensevelie sous des papiers – et un vieux canapé usé rouge vif. Elle s'assit sur le canapé, et il lui offrit une bière ou de la vodka.

Elle choisit la vodka.

Il lui prépara un verre, mit un disque de Billie Holiday et vint s'asseoir près d'elle.

— À propos de l'autre soir..., commença-t-elle nerveusement, ça n'aurait jamais dû se produire. Je m'étais querellée avec mon mari et j'avais trop bu.

Il prit sa main dans les siennes.

— Tu n'as pas à trouver des raisons. Ça s'est produit et c'était formidable. Si ça te gêne, eh bien, tu n'étais pas obligée de me revoir. Je ne t'ai pas rappelée pour cette raison.

Elle prit une autre gorgée de vodka.

— Je voulais juste m'expliquer.

Elle hésita et continua de plus belle.

— Je ne voulais tout simplement pas te laisser avec une mauvaise impression de moi.

— Tu m'as laissé une très belle impression de toi : ton parfum embaumait mes draps, et l'odeur de ton corps, et ton cri lorsque tu es venue.

Il tendit les bras vers elle pour l'attirer contre lui ; elle résista à moitié. Mais lorsque leurs bouches se rencontrèrent, elle s'abandonna. Il était jeune et fort, et cette fois-ci elle était presque sobre. Elle ressentait qu'il s'employait entièrement à lui faire plaisir, et en retour, elle semblait deux fois plus apte à l'exciter. Ils firent l'amour pendant longtemps, et c'était très, très bon. Après, ils restèrent allongés et parlèrent.

Elle se sentait si paisible et protégée par lui. Il l'écouta calmement pendant qu'elle lui parlait de David et son indifférence à son égard. Elle lui raconta tout à propos d'elle-même, des enfants, de sa vie. Ils fumèrent des cigarettes et burent plus de vodka.

Elle en apprit à son sujet aussi. C'était un artiste. Il avait quitté l'école d'art une année auparavant et travaillait actuellement comme adjoint au directeur artistique d'un magazine de luxe pour femmes. Les tableaux accrochés aux murs étaient ses œuvres. Elle apprit qu'ils représentaient une ex-petite amie qui s'appelait Mary.

C'était une histoire triste. Ils se rencontrèrent à l'école d'art et tombèrent amoureux. Après six mois de vie commune, ils décidèrent de se marier. La mère de Paul était décédée et son père, un homme d'affaires retraité, vivait à Cheltenham. Il emmena donc Mary chez son père pour qu'il la rencontre. Trois jours plus tard, elle épousa son père.

Paul était estomaqué, incrédule face à ce qui se passait. Il avait eu une terrible querelle avec les deux et ne les avait pas revus depuis.

— Je ne pouvais pas l'accepter, dit-il. Je ne crois pas qu'elle l'aimait. Je crois qu'elle voulait son argent; je n'avais aucune sécurité à lui offrir.

— Comment te sens-tu par rapport à elle à présent? lui demanda Linda.

— Je ne sais pas, dit-il sur un ton maussade. C'est une salope. Ils sont partis un après-midi et lorsqu'ils sont revenus, ils étaient mariés.

— Pourquoi gardes-tu tes tableaux d'elle sur tes murs?

Il haussa les épaules.

— Pour me rappeler, j'imagine, de ne jamais être à nouveau un imbécile.

Elle se souvenait de la jolie Mélanie à la voix pleurnicharde.

— Moi, ça va, parce que je suis mariée? devina-t-elle.

— Je pense que tu es géniale.

Ils restèrent allongés en silence pendant un moment, ressassant chacun leurs problèmes respectifs.

— Ce qui me dérange le plus, dit-il, est de savoir que Mary vit à Cheltenham avec mon vieux. Elle était tellement obsédée. Elle aimait s'envoyer en l'air plus que n'importe qui. Je ne vois vraiment pas ce qu'elle lui trouve; il est tellement vieux.

— Comment était ta mère?

— C'est une longue histoire.

Elle se pencha vers lui et posa un léger baiser sur son front.

— Raconte-moi, dit-elle doucement.

— J'ai l'impression d'entendre un psychiatre, dit-il en riant. En fait, c'est une bien triste histoire. Elle s'est suicidée quand j'avais quinze ans.

Linda était abasourdie. Elle voulait lui demander pourquoi, mais Paul s'était tourné sur le côté et avait fermé les yeux.

— C'est plutôt ennuyant, marmonna-t-il. Je te raconterai ça une autre fois.

Après un moment, elle regarda sa montre et constata qu'il était passé vingt-trois heures.

— Écoute, je dois partir. David va rentrer à minuit.

— Pourquoi ne passerais-tu pas la nuit ici ? grommela-t-il, le dos encore tourné.

— J'aimerais bien, mais je ne peux vraiment pas être absente lorsqu'il arrivera. Il sait que je ne sors jamais bien tard ; il appellerait la police.

— C'est drôle, tu ne trouves pas ? dit Paul. Toutes les poulettes que je saute dont je n'arrive pas à me débarrasser.

Il prit une petite voix aiguë : « Mon chéri, laisse-moi passer la nuit. Maman et papa ne m'attendent jamais avant le matin. »

Ils rirent tous deux.

— Je te le jure, c'est horrible ; elles ne veulent tout simplement pas partir. Et tu sais ce que c'est de coucher avec quelqu'un et de ne pas supporter de l'avoir près de toi après. Tu sais, Linda, tu es la première femme depuis Mary à qui je demande de passer la nuit, et tu refuses.

Elle s'habilla lentement alors que Paul lézardait paresseusement au lit à la regarder.

— Tu es très sexy, tu sais. J'aimerais bien te voir en porte-jarretelles et bas de nylon noirs.

— Pour prendre des photos?

— Non, pour peindre un tableau de toi, allongée sur un canapé. Très sexy. Est-ce que je peux?

— Je vais y penser.

Elle rit, un peu gênée. Elle était finalement prête à partir.

— Quand vais-je te revoir? demanda Paul.

— Je ne sais pas.

— Demain?

— Je ne sais pas, Paul. Il m'est très difficile de faire des plans.

— Tu ne peux pas partir sans d'abord me dire quand on va se revoir.

— Je vais te téléphoner demain matin.

Il lui laissa son numéro de téléphone au travail, lui donna un long baiser passionné, et elle se mit en route vers chez elle. Il était vingt-trois heures trente.

Chapitre 9

Claudia quitta le restaurant, furieuse. Elle héla un taxi et lui donna l'adresse de l'hôtel de Conrad Lee. Elle en avait assez de David Cooper. Quel imbécile – mais il se prend pour qui, au juste ? Au début, leur aventure avait été merveilleuse. Elle aimait avoir des liaisons amoureuses avec des hommes mariés. Ils formaient une race à part et constituaient toujours un défi. De plus, elle avait fait l'erreur de penser qu'il pouvait l'aider avec sa carrière.

Il n'avait rien fait, absolument rien. Être le visage de Beauty Maid semblait la mener dans un cul-de-sac. Il ne lui avait même jamais offert un vrai cadeau, mais lui avait fait un tas de fausses promesses. Où était ce fameux manteau de vison qu'il était censé lui offrir ? Elle ne voulait pas d'argent de sa part. Comment osait-il lui en offrir comme à une vulgaire pute ? Les cadeaux, c'était autre chose.

— Radin, maugréa-t-elle.

Il s'était même plaint d'avoir à payer l'addition au restaurant.

Le taxi arriva à l'hôtel. Le portier s'empressa de l'accompagner à l'intérieur.

Elle avança calmement vers la réception.

— J'aimerais parler à monsieur Conrad Lee.

L'appel fut transféré au circuit téléphonique interne de l'hôtel. Après un moment, le standardiste dit qu'il n'y avait pas de réponse.

— Pourriez-vous composer le numéro dans la chambre ? dit-elle.

Le téléphone sonna plusieurs fois avant qu'il y ait une réponse.

— Qui est-ce ?

Le ton de sa voix était grossier et antipathique.

— Conrad, Claudia Parker à l'appareil.

— Qui ?

— Claudia Parker, répéta-t-elle patiemment. Ne me dis pas que tu as déjà oublié notre soirée d'hier.

Il y eut une courte pause.

— Ah, oui ! Bien sûr. Comment vas-tu, ma belle ? Qu'est-ce que je peux faire pour toi ?

— Ta secrétaire m'a appelée plus tôt à propos d'une rencontre demain soir. Comme j'étais avec un type vraiment ennuyeux, je me suis dit : pourquoi pas ce soir ?

Il rit et toussa de façon désagréable.

— Écoute, ma mignonne, je suis déjà occupé ce soir.

— Oh.

Elle était déçue.

— Tu sais, je m'adapte très bien à toutes sortes de situations. Je ne pense pas que trois c'est trop.

— Est-ce que j'ai bien compris ? questionna-t-il.

— Oui, tu as bien compris, ronronna-t-elle. Tu étais tellement incroyable hier soir que je n'ai pas d'objection à te partager.

— Attends une seconde, lui dit Conrad, et le son de sa voix fut assourdi.

Elle attendit patiemment. Lorsqu'il revint, le ton de sa voix était animé.

— Tu peux monter; je t'attends.

Elle raccrocha et, souriante, se dirigea lentement vers la salle de bain des femmes où, pendant les vingt minutes qui suivirent, elle retoucha son maquillage et arrangea ses cheveux de façon à ce qu'ils tombent sur ses épaules en une cascade épaisse et lustrée. Elle était magnifique, jeune, sexy et jolie. Sa silhouette était montrée sous son meilleur jour avec la robe noire au décolleté plongeant qu'elle portait.

Trente minutes s'étaient écoulées lorsqu'elle frappa finalement à la porte de la suite.

Il ouvrit immédiatement. Il portait un peignoir rayé vert et orange.

— Merde ! Où étais-tu passée ? la sermonna-t-il.

Elle lui sourit, tout en excuses, se dirigea vers le salon et s'assit, croisant les jambes de manière à montrer le maximum de jambe. Elle savait qu'elle était splendide.

— Je suis tellement désolée, dit-elle. Je sais que tu vas penser du mal de moi, mais ce que j'ai dit au téléphone à propos du ménage à trois et tout et tout... Eh bien, je ne peux vraiment pas.

Il la dévisagea, incrédule.

— Tu ne peux pas ? dit-il, la voix rauque.

Elle secoua la tête lentement, faisant papillonner ses longs cils noirs.

— Je l'ai dit parce que je voulais tellement te revoir, mais ce n'est pas ma tasse de thé.

— Ce n'est pas ta tasse de thé, répéta-t-il ébahi.

— Non.

Elle passa la langue sur ses lèvres, croisa les jambes de l'autre côté et attendit.

— Écoute, ma belle, dit-il enfin. Tu m'as appelé pendant que j'étais en train de sauter cette fille, indiquant la chambre. Tu m'as appelé pendant que j'étais en pleine action. Personne ne t'a sonnée, mais tu étais là au téléphone à demander, et à insister, de te joindre à nous. Alors, me voilà tout émoustillé à l'idée de ce qui m'attend, je stoppe tout en plein milieu de l'action, j'attends une grosse demi-heure, et tu minaudes jusqu'ici en disant que ce n'est pas ton truc ?

Le ton de sa voix montait graduellement au point de crier.

Elle se leva, s'approcha de lui et posa ses mains sur son bras.

— Comment t'expliquer ? J'étais saoule hier soir, malgré tout, je me souviens d'avoir vécu quelque chose de spécial avec toi. En ce moment, je suis sobre et ce n'est pas de ma faute si j'ai envie de te garder juste pour moi.

Il la regarda avec admiration.

— Tu es une petite rusée, toi. Donc, j'imagine que tu veux que j'envoie promener…

Il fit un geste en direction de la chambre. Elle l'embrassa, se collant contre lui.

— C'est ça.

Il la repoussa.

— OK, ma poupée, mais ne pense pas que je suis dupe ; je sais exactement ce que tu mijotes. Parce que tu es beaucoup plus sexy qu'elle, je vais la payer et lui dire de partir. C'est ça que tu veux ?

Elle le regarda avec de grands yeux innocents.

— Je ne sais pas ce que tu veux dire, dit-elle. Fais ce que tu veux. Je suis toujours disponible demain soir. Je peux m'en aller si tu préfères.

Les yeux de Conrad balayèrent du regard le corps de Claudia.

— Non, tu restes ici. Va attendre dans les toilettes.

Elle sourit et, obéissant à sa demande, se dirigea vers la salle de bain des invités, dans le couloir. Il la fit attendre environ cinq minutes. Elle entendit soudainement la voix stridente d'une femme et ensuite le claquement d'une porte.

Il ouvrit finalement la porte de la salle de bain : il s'était débarrassé de sa robe de chambre colorée et se tenait là avec rien d'autre que son bronzage et une érection.

— Allons-y, ma mignonne, dit-il. J'ai dû donner cinquante billets à cette créature, alors il va falloir que tu te mettes au travail !

* * *

David stationna sa voiture dans le garage et entra dans la maison. Un étrange silence y régnait. Se disant que Linda s'était couchée tôt, il monta l'escalier et jeta un coup d'œil sur les enfants, qui dormaient à poings fermés. Jane se réveilla et demanda un verre d'eau. Il alla le lui chercher. Elle mit ses bras autour de son cou et lui dit: « Je t'aime papa. » Il la borda et alla dans la chambre principale. Il n'y avait personne. Il était un peu surpris. Où était Linda ? Il savait que le reste de la maison était déserte. Elle était probablement allée au cinéma ou quelque chose du genre, mais ce n'était pas dans ses habitudes.

Il regarda par la fenêtre et vit que sa voiture n'y était pas. Il chercha une note, mais n'en trouva pas.

Il alla cogner à la porte d'Ana. La bonne, serrant fort sa chemise de nuit de nylon transparente contre elle, vint lui ouvrir. Sa lèvre supérieure affichait malheureusement un semblant de moustache.

— Où est madame Cooper ? demanda-t-il.

— Elle est sortie vers vingt heures, dit Ana.

Parce que son anglais laissait à désirer, elle ne fournit pas plus de détails.

— A-t-elle dit où elle allait ?

— Non.

— À quelle heure elle reviendrait ?

— Non.

La conversation était terminée.

Il retourna dans la chambre, prit une douche et s'endormit dans le lit en lisant les journaux.

C'est ainsi que Linda le trouva lorsqu'elle entra. Elle était agitée – il avait pourtant dit minuit et il arrivait toujours plus tard que prévu. Heureusement, il dormait et ne put voir son maquillage défait et ses cheveux en bataille. Elle savait que s'il l'avait vue, il aurait tout de suite su. Elle entra rapidement dans la chambre, se dévêtit et enfila un peignoir. Elle se fit couler un bain. Au moins, s'il se réveillait maintenant, cela n'aurait pas d'importance.

Il se réveilla.

— Où diable étais-tu passée ? la houspilla-t-il.

— Je suis allée au cinéma. Et toi, où étais-tu ?

— Tu sais très bien où j'étais. Le film prend fin à vingt-deux heures quarante-cinq. Où as-tu passé la dernière heure ?

— Je présume que tu étais avec Phillip, dit-elle, faisant fi de sa question.

— Oui ; tu sais que j'étais avec lui.

— Moi aussi, j'étais avec lui.

Il la dévisagea, le regard vide.

— Mais qu'est-ce que tu racontes ?

— J'étais avec Phillip tout autant que tu l'étais.

— Est-ce que tu as bu ?

— Non, David, je n'ai pas bu. J'ai appelé chez les Abbottson après t'avoir parlé plus tôt et pendant que je parlais avec Mary, Phillip est entré chez lui et n'avait aucune idée d'une réunion avec toi.

David pensa vite.

— Les choses se sont compliquées, en effet. Je croyais qu'il allait revenir plus tard, mais j'ai réalisé qu'il m'avait dit qu'il ne pouvait pas. Je devais donc emmener manger ces gens de l'extérieur de la ville.

Elle leva un sourcil.

— Mais tu viens de dire que tu étais avec Phillip.

— Oui, je sais, mais c'est parce que je savais que tu ne comprendrais pas.

— Tu as raison, je ne comprends pas. Maintenant, tu peux me laisser à mon bain ?

— Tu es tellement ridicule, Linda.

Il commençait à élever le ton.

— Je suis à la maison depuis des heures. J'ai emmené trois hommes manger chez Carlo's. J'ai même croisé Jay et Lori Grossman. Tu me crois maintenant ? Ils veulent souper avec nous demain soir. J'ai dit oui. Tu peux leur demander avec qui j'étais, D'ACCORD ?

Peut-être qu'il disait la vérité après tout.

— D'accord, d'accord, dit-elle sur un ton las.

Elle était trop fatiguée pour se disputer.

Il retourna en colère dans la chambre. Elle prit son bain. Ils n'étaient pas sur la même longueur d'onde. Ni l'un ni l'autre n'avait vraiment envie de discuter longuement de leurs allées et venues. Ils risquaient de s'engager sur un terrain dangereux et de se faire prendre.

Lorsqu'elle se mit au lit, il se dit que son long déshabillé noir en soie lui allait à merveille, moulant avantageusement ses courbes.

Il brisa le silence.

— Où veux-tu aller manger demain soir ?

Elle lui donna une réponse évasive.

— Ça m'importe peu.

— Jay dit que Lori veut aller au Savoy Grill. Un peu traditionnel, mais étant donné qu'ils sont en visite ici, on peut leur faire plaisir.

— Je suppose.

Elle éteignit la lumière de son côté du lit et s'allongea, lui tournant le dos.

— Quoi de neuf avec les enfants ?

— Pas grand-chose.

Il alluma une cigarette.

— Je ne suis pas fatigué, fit-il remarquer.

— Pourquoi ne lis-tu pas ? Il y a un livre sur la table de chevet que tu as commencé il y a trois mois.

— Je n'ai pas envie de lire.

— Alors, éteins la lumière et dors.

— Il est joli, ce déshabillé. Il est neuf ?

— Non, je le porte depuis deux ans, dit-elle en soupirant patiemment, espérant qu'il se taise.

Il se pencha sur elle et enveloppa son sein gauche de sa main. Elle s'écarta aussitôt. Oh, mon Dieu, non, pensa-t-elle, pas ce soir, surtout, mon Dieu, pas ce soir. Elle avait passé un nombre incalculable de nuits allongée à ses côtés à brûler pour lui, et il choisissait ce soir de tous les soirs.

Il s'allongea à travers le lit vers elle.

— Qu'y a-t-il ?

— Rien.

Elle se tourna à contrecœur vers lui.

Heureusement, il la prit rapidement. Il y avait longtemps qu'il avait laissé tomber les préliminaires avec elle. Le sexe avec David ne lui procurait aucun plaisir. Elle se sentit insignifiante et exploitée. Elle se demanda vaguement si tous les hommes devenaient ainsi lorsqu'ils se mariaient. Tout feu tout flamme au début, emballés de pouvoir vous caresser pendant une demi-heure. Mais après le mariage, une petite baise rapide, et le tour était joué.

— C'était merveilleux, dit-il. Comment c'était pour toi ?

Elle feignit le plaisir.

— Merveilleux, répéta-t-elle, incapable de trouver un autre qualificatif.

Il éteignit la lumière.

— Bonne nuit.

Elle ferma les yeux très fort pour ne pas laisser ses larmes couler.

— Bonne nuit.

Il était là, étendu, pensant à cette garce de Claudia.

Elle était là, étendue, pensant à quel point Paul était viril et sensible.

Ils finirent tous deux par s'endormir.

Chapitre 10

— Je veux passer la nuit ici, dit Claudia en s'étirant langoureusement.

Conrad était au téléphone avec le service aux chambres. Il était assis sur le bord du lit, ses bourrelets bronzés autour de la taille, sa tête chauve luisante de sueur.

— C'est monsieur Lee de la suite 206 : je veux six rôties légèrement beurrées et garnies de caviar, le meilleur que vous avez. Aussi un seau de glaçons, un verre de lait et un bol de crème glacée au chocolat.

Il regarda Claudia par-dessus son épaule.

— Veux-tu quelque chose, ma belle ?

Elle hocha la tête. Il parla à nouveau au téléphone :

— Ajoutez à ça du gâteau au chocolat et de la crème, un pichet plein de crème. C'est tout. Faites vite !

— Je vais passer la nuit, déclara Claudia.

— Pourquoi veux-tu faire ça ?

— Parce que je veux aller au studio avec toi demain, comme tu me l'as promis. Je ne dois pas te perdre de vue !

Il rit.

— Chérie, tu dépasses les bornes ! J'ai été marié trois fois. Je pensais donc que je connaissais pas mal bien les femmes, mais toi, tu es une force de la nature !

Elle rit elle aussi, rejetant la tête vers l'arrière de façon à ce que ses cheveux retombent autour d'elle.

— Tu ne préfères pas que je sois honnête ? demanda-t-elle. Je ne suis pas une midinette, tu sais. Je t'aime bien. Mais je ne vois pas pourquoi tu ne pourrais pas m'aider.

— Je ne t'ai rien promis.

— Oui, tu m'as promis une audition.

— Donc, je t'ai promis une audition. Et si t'es nulle ?

— Je ne serai pas nulle, dit-elle en souriant. Je n'ai peut-être rien d'une actrice, mais je suis extrêmement photogénique ! Et je suis convaincue qu'avec le genre de film que tu produis, tu peux me trouver une place.

On frappa discrètement à la porte de la chambre.

— Votre commande, monsieur, dit la voix de l'autre côté de la porte.

Conrad descendit du lit indolemment et tendit le bras vers une robe de chambre de soie.

« Que tu es vieux et gros », se dit Claudia en elle-même.

— J'adore ta robe de chambre, mon chou, dit-elle en ronronnant.

— Simpson, dit-il fièrement.

Il prit une poignée de monnaie de la coiffeuse et disparut dans l'autre pièce. Claudia roula à travers le lit, s'enroulant autour des draps.

— Je vais avoir un rôle dans ce maudit film, à tout prix ! marmonna-t-elle. Je n'ai pas couché avec cette chose pour rien !

Il revint dans la chambre en mangeant une rôtie.

— Ce caviar est affreux. Veux-tu aller manger quelque part ?

— Quelle heure est-il ? demanda-t-elle, surprise.

Il regarda sa grosse montre en or.

— Une heure et demie. Qu'y a-t-il d'ouvert à cette heure-ci ?

Elle pensa vite. S'ils sortaient manger, elle voulait s'assurer de revenir à l'hôtel avec lui après. Elle était déterminée à rester scotchée à lui jusqu'à ce qu'il lui obtienne une audition.

— Tous les clubs restent ouverts jusqu'à environ quatre heures, dit-elle. On peut aussi en profiter pour faire un détour par mon appartement pour que j'aille chercher des vêtements à porter au studio demain.

— Bonne idée.

Elle sauta du lit.

Il étudia sa silhouette.

— Tu as un corps magnifique, tu sais. Que dirais-tu d'apparaître nue à l'écran ?

— Je n'y avais pas vraiment pensé.

— Penses-y. Il y a un rôle qui te conviendrait peut-être. Je peux te faire passer une audition.

— Quand ?

Ses grands yeux verts pétillaient.

Ils allèrent chez Charlie Brown, une nouvelle discothèque. L'endroit était bondé, mais ils réussirent à s'installer à une table déjà pleine parce que Conrad avait glissé quelques billets au maître d'hôtel. Le volume de la musique était tellement fort que personne ne s'entendait parler. Sur la minuscule piste de danse, des couples dansaient, tassés comme des sardines frétillantes. Il y avait ici et là des gens connus, un tas de jeunes filles aux longs cheveux raides couvrant la moitié de leur visage, et quelques représentants des groupes de rock de l'heure aux cheveux aussi longs que ceux des filles. Il faisait très sombre.

Il y avait à leur table un photographe que Claudia connaissait. Elle le salua, lui fit la bise et le présenta à Conrad. Il était en compagnie du *top-modèle* de l'heure, une grande fille svelte fabuleusement photogénique.

Claudia ne réussissait pas à rester en place ; la musique l'envoûtait par grandes vagues.

— Veux-tu danser ? demanda-t-elle à Conrad.

Il hocha la tête et ils réussirent tant bien que mal à se frayer un chemin vers la piste de danse où Claudia se laissa aller à des mouvements circulaires endiablés pendant que Conrad se contentait de s'agiter sur place. Il faisait chaud. La sueur ne tarda pas à couler sur son visage.

Tu te crois un vrai coureur de jupons, pensa Claudia. Tu ne te rends pas compte que tu es trop vieux pour ce jeu ?

— Chéri, tu danses à merveille ! lui dit-elle.

— Ma chouette !

La voix était inimitable. Tout juste à côté d'eux sur le plancher de danse se trouvait Shirley, flanquée de l'honorable Jeremy.

— Où est passé ton divin petit ami ?

Claudia sourit.

— Je croyais que vous alliez au Windsor, hurla-t-elle.

— Nous y sommes allés, mais c'était franchement lamentable ; l'endroit était presque vide. Peux-tu imaginer quelque chose de plus épouvantable ?

L'honorable Jeremy signifia son accord en hochant la tête énergiquement.

À ce moment-là, Conrad suait à profusion.

— Allons nous asseoir, dit-il faiblement.

— Nous arrivons dans une minute, ma chérie. Où êtes-vous assis ?

Claudia sourit et lui fit un signe de la main, faisant semblant qu'elle n'avait pas entendu. Elle n'avait aucune envie de devoir à nouveau supporter la présence de Shirley et Jeremy.

Lorsqu'ils revinrent à leur table, celle-ci comptait encore plus de gens qui se pressaient les uns contre les autres pour leur faire une place.

— J'ai adoré votre dernier film, dit la mannequin à Conrad. Le prochain sera-t-il tourné au pays ?

Le photographe invita Claudia à danser. Elle accepta avec réticence en voyant la mannequin maigrichonne baratiner Conrad, mais elle était impatiente de danser à nouveau, et Gilles, le photographe, était un danseur débridé. Elle avait jadis eu une brève aventure avec lui, mais ils avaient tous deux décidé qu'il était plus amusant d'être amis. Ils étaient trop semblables pour être des amants. Lorsqu'à l'occasion l'un des deux était désemparé, il appelait l'autre et ils passaient une soirée ensemble, et s'ils en avaient envie, la soirée se terminait au lit. Mais leur relation était purement fraternelle, ponctuée de sexe à l'occasion. Gilles était un très bel homme d'allure espagnole. Les femmes étaient toutes folles de lui, et ses services de photographe de mode et de la vie mondaine étaient en demande.

— Qui est le *sugar daddy*? lui demanda-t-il avec cynisme. Cindy me dit que c'est un gros bonnet de Hollywood, et je crois qu'elle a un faible pour le genre.

— Tu peux lui dire de garder ses faux ongles loin de celui-ci ; j'ai déjà mis le grappin dessus !

Ils s'adonnèrent à une danse rituelle : lui, debout et immobile, secoué par de petites saccades sexy rythmées pendant qu'elle faisait semblant de se frotter sur lui.

— As-tu envie de fumer un peu de mari ? demanda-t-il.

Elle jeta un coup d'œil à leur table. D'autres personnes y avaient pris place, et Conrad semblait fort heureux de commander des verres en parlant très fort et en gesticulant.

— Ouais ; bonne idée, répondit-elle.

Ils quittèrent la piste de danse en catimini pour aller sur un balcon qui s'étendait sur la moitié de l'immeuble du club. Il y avait beaucoup de vent et le silence y régnait, car les fenêtres et les portes du club étaient toutes insonorisées.

Gilles alluma un joint dont ils tirèrent chacun leur tour une bouffée profonde.

— Je dois me mettre dans le bon état d'esprit pour baiser ce sac d'os, dit-il. Nous préparons une grande mise en page pour *Vogue*, et je veux que l'ambiance autour de nous soit parfaite. Doux Jésus ! J'ai l'impression de sauter un squelette !

Ils gloussèrent tous les deux.

— Bonne chance, lui souhaita Claudia. Que dis-tu du mien ? Séduisant, n'est-ce pas ?

— Et si on faisait un ménage à quatre ? dit Gilles. Mais à quoi bon puisque, de toute façon, je sais bien qu'on finirait ensemble toi et moi.

Ils se tordirent de rire.

— On ferait mieux de retourner à l'intérieur, dit Claudia.

— Qu'y a-t-il au juste ? demanda Gilles. Tu vas devenir une grande starlette ?

— Une vedette, mon trésor, une vraie vedette.

Ils regagnèrent leur table parmi le bruit et la chaleur. Cindy était tout ouïe devant Conrad qui racontait l'interminable récit de son arrivée en Amérique à l'âge de quatorze ans. Shirley et Jeremy s'étaient également trouvé une place à la table.

— Ma chérie ! Quel homme fascinant ! s'exclama Shirley. Quel vécu !

Elle roucoula à Gilles :

— Allo, mon coco.

— Bonsoir, Shirley. Comment vont les affaires ?

— Les affaires ?

Il rit.

— Oublie ça, princesse.

— Dis donc, mon vieux, bégaya Jeremy, tes photos de Shirley... Du bien bon travail.

— Parce que je suis un bien bon photographe, se moqua Gilles.

Claudia décida que le moment était venu de couper court à la lune de miel de Cindy et Conrad. Elle glissa un bras autour de son cou et lui susurra quelque chose à l'oreille.

Il la regarda d'un air surpris.

— Ici ? dit-il. Maintenant !

Elle gloussa.

— Personne ne verra. Tu veux ?

Il lâcha un rire guttural.

— Tu es complètement sautée. Et si on gardait ça pour plus tard ?

Conrad commanda du champagne pour toute la table et tout le monde s'employa à picoler.

— J'organise une grosse fête demain soir chez moi, dit-il.

Claudia était ravie.

— Pour moi, chéri ?

— Ouais, pour toi, pour tout le monde. Vous êtes tous invités.

— Chouette ! dit Shirley, enchantée.

— Où et à quelle heure, mon chou ?

— À mon hôtel : le Plaza Carlton. Je vais réserver une grande salle. Aux alentours de vingt-deux heures.

— C'est fou ! dit Claudia.

— Est-ce que vous avez tous entendu ? Demain soir, vingt-deux heures.

Elle posa un baiser sur l'oreille de Conrad.

— Je vais au petit coin ; je reviens tout de suite.

Elle se fraya un chemin entre les tables jusqu'à la réception.

— Je veux faire un appel rapide, dit-elle à la fille derrière le comptoir.

— Allez-y, lui dit la fille en lui passant le téléphone.

Il était passé trois heures. Elle composa le numéro lentement, affichant un sourire machiavélique.

Une voix endormie répondit au téléphone.

— Salut, David chéri, murmura-t-elle. Je m'amuse follement. Et toi ?

Elle raccrocha aussitôt.

— Je voulais juste faire savoir à mon mari que tout va bien, dit-elle à la fille au regard étonné, et retourna à l'intérieur.

* * *

Les choses étaient moins roses le lendemain matin. À la vue de Conrad allongé à ses côtés comme une gigantesque limace, elle eut un haut-le-cœur. Elle avait la tête lourde et sa peau était rugueuse comme un vieux parchemin. Elle réussit à se rendre jusqu'à la salle de bain et prit une douche glacée. L'expérience était un supplice atroce, mais les bienfaits qui en découlaient en valaient la souffrance.

Ils n'étaient pas retournés à l'hôtel de Conrad plus tôt ce matin-là, se retrouvant plutôt à l'appartement de Claudia.

Après sa douche, elle s'habilla et se maquilla avec un grand souci du détail, toute prête à accompagner Conrad au studio. Elle prépara ensuite du café et alla le secouer pour le réveiller.

Son réveil fut brutal. Toux grasse, bruits de gorge révoltants, yeux injectés de sang, mauvaise haleine et odeurs désagréables...

— Bon sang, mais quelle heure est-il? marmonna-t-il, comme quiconque se réveille dans l'appartement de quelqu'un d'autre.

— Il n'est que dix heures.

Elle lui mit une tasse de café entre les mains.

— Où est le téléphone?

Elle cherchait en tâtonnant sous le lit le téléphone qu'elle avait décroché.

Il appela sa secrétaire et lui donna une série de directives.

— Je dois retourner à l'hôtel pour changer de vêtements, dit-il, essayant tant bien que mal de s'habiller.

— Je viens avec toi.

— Pourquoi ?

— Pour l'audition que tu m'as promise.

Il la fixa des yeux.

— Je n'oublierai pas ta fichue audition, mais ça ne se fait pas en criant lapin ! Il faut l'organiser.

— Je vais venir avec toi et tu pourras l'organiser.

Il secoua la tête.

— Tu n'abandonnes pas facilement, toi.

Il rappela sa secrétaire.

— Écoute. Je veux faire passer une audition à mademoiselle Claudia...

Il la regarda, sans émotion.

— Parker, répondit-elle aussitôt.

— Parker, aussitôt que possible. Son agent va t'appeler plus tard pour obtenir les détails.

Il raccrocha.

— Ça va comme ça, mon poussin ?

Elle l'embrassa.

— Oh, que oui ! Dis donc, tu n'as pas oublié la fête de ce soir ?

— Une fête ?

— Oui. Tu ne te rappelles pas ? Tu as invité un groupe tout entier de gens ce soir, à ton hôtel.

— Ah, oui, c'est vrai. Je m'en occupe. On se voit plus tard.

— Je vais arriver à l'hôtel quelques heures plus tôt au cas où tu aurais besoin de quelque chose.

— Avec la façon dont je me sens en ce moment... Je n'aurai besoin de rien, mais sait-on jamais.

Il rit de façon libidineuse et s'en alla.

Chapitre 11

Linda téléphona à Paul aussitôt que les enfants furent partis pour l'école et David, au bureau. Il avait hâte de la voir.

— Je n'y arriverai pas, dit-elle.

Il fut si persuasif qu'elle céda. Elle accepta de le rencontrer à son heure de dîner.

La journée était fraîche et ensoleillée; ils se rencontrèrent dans Green Park. Elle ne l'avait jamais vu dans un complet; il y avait quelque chose qui clochait. Elle conclut que les complets prêts-à-porter des grands magasins avaient tous cette fâcheuse allure un peu imparfaite.

Ils se promenèrent main dans la main, mais Linda n'était pas à l'aise. Elle se sentait trop chic dans sa petite tenue agencée à ses chaussures et son sac à main en peau de crocodile. Elle savait qu'ils détonaient tous deux à se promener en amoureux dans Green Park. Elle ne se sentait pas vieille, du moins pas plus vieille que lui, mais – malgré ses efforts pour ne pas se sentir ainsi – elle sentait qu'elle s'encanaillait.

— À quoi penses-tu? lui demanda-t-il. Quelque chose te tracasse?

— Je ne sais pas, Paul. Tout ça ne va pas. Je ne suis pas le type de femme qui peut avoir une aventure. J'ai mes enfants, mon foyer, et je sens que je dois continuer à faire un effort avec mon mari. Je ne peux pas tout abandonner pour m'engager dans une relation avec toi.

— Ce n'est pas une réponse !

Il était irrité.

— Quel est le problème, Linda ? Tu as peur de perdre ta sécurité si David nous découvre ?

— Non, j'ai peur de perdre mon amour-propre.

Ils marchèrent en silence pendant un moment.

— Qu'est-ce que tu veux dire ? lui dit Paul.

— J'essaie de te dire que je ne peux pas mener une double vie. Je veux rompre notre liaison maintenant avant qu'elle ne devienne trop sérieuse.

Le ton de sa voix était sombre.

— Je ne veux pas que tu me quittes. J'attendais de rencontrer quelqu'un comme toi. Tu es une personne chaleureuse. J'ai besoin d'une personne affectueuse. Je n'exigerai rien de toi, sauf de te voir lorsque tu seras libre.

— Ce n'est pas assez ni pour toi ni pour moi. Je ne crois pas que l'on devrait se revoir.

Elle retira sa main de la sienne.

Son humeur changea du tout au tout.

— Tu es comme toutes les autres. J'aurais dû le savoir que tu étais une sale garce sans cœur, effrayée à l'idée de perdre son confort matériel. Les femmes ont une calculatrice à la place du cœur. Mary, par exemple. Elle m'a laissé tomber pour mon père parce qu'il avait un peu de fric. Ma mère s'est suicidée pour être enfin débarrassée de lui. Allez toutes vous faire foutre !

— Je suis désolée, Paul, mais je ne peux pas tenir la place de ta mère ni celle de Mary ; je suis trop vieille pour ça. Oublie le passé et trouve quelqu'un avec qui tu peux être heureux.

— C'est ça que tu veux ?

— Oui. C'est ça que je veux.

Il la regarda avec mépris.

— En tout cas, tu as été facile à mettre à l'horizontale ; pas mal pour une vieille poule.

Elle se tourna et s'éloigna de lui d'un pas rapide.

— Qui va te baiser maintenant, salope, dévergondée ! cria-t-il pendant qu'elle s'éloignait.

Elle sentit ses joues rougir et courut sans arrêt jusqu'à sa voiture.

Elle conduisit jusque chez elle, le visage ruisselant de larmes froides.

* * *

Les Grossman étaient assis au bar de leur hôtel. Lori, toute fraîche dans une robe en mousseline lilas pâle, ses cheveux tirés vers l'arrière formant un amas de grosses boucles, portait un décolleté qui révélait deux seins blancs satinés.

Les Cooper arrivèrent à l'heure. Linda portait une robe en satin noire et une étole de vison beige pâle. David portait un complet bleu nuit, une chemise blanche, une cravate bleue et de gros boutons de manchette en saphir.

Ils prirent un verre et se déplacèrent ensuite vers le Savoy Grill.

Jay égaya la soirée en racontant des histoires cocasses à propos de Hollywood, alors que David parlait amicalement d'affaires et de politique. Les deux femmes gardèrent essentiellement le silence. Lori était très déçue que la princesse Margaret n'y soit pas. Elle se plaignit de l'absence de glaçons et vérifia son maquillage trop de fois.

— Doux Jésus, cesse de te regarder dans la glace. Nous le savons tous que tu es belle ; c'est la raison pour laquelle je t'ai épousé, n'est-ce pas ? lui dit Jay.

Elle fit la moue après cette remarque.

Ils étaient rendus à prendre leur café lorsque Jay formula une suggestion.

— Pourquoi n'irions-nous pas faire un tour à la fête organisée par Conrad ce soir ? Nous lui avons promis que nous irions.

— Je suis vraiment fatiguée, répondit Linda, tout en excuse. C'était le retour des enfants sur les bancs de l'école aujourd'hui et, avec tous les préparatifs, je suis plutôt crevée.

— Allez, Linda, dit David jovialement. Allons-y pour une heure.

Il était plutôt fier de lui-même d'avoir réussi toute la journée à ne pas communiquer avec Claudia. Petite traînée – ça lui apprendrait. Et que dire de cet appel en pleine nuit pour le rendre jaloux ? Il allait lui donner une leçon. Elle serait obligée de ramper pour se faire pardonner.

— Il faut à tout prix que tu viennes, Linda, dit Jay.

— On va s'amuser, je vous le promets.

— Rien que pour une heure, alors, dit-elle avec réticence.

Elle accompagna Lori à la salle de bain des femmes, où, entre deux applications de poudre et de fard à joues, Lori se lamenta :

— Ce fils de pute croit que je suis une idiote. Il va voir qui est l'idiot entre nous deux lorsqu'il constatera que je suis partie avec la moitié de sa fortune.

— Pardon ? dit Linda, poliment.

— C'est la loi en Californie, je sais que c'est la loi en Californie.

Lori devint soudainement silencieuse, se contentant d'appliquer une autre couche de brillant à lèvres.

La fête battait son plein lorsqu'ils y arrivèrent. Soixante à soixante-dix personnes s'y trouvaient déjà, et d'autres continuaient d'arriver. Un immense buffet occupait un côté complet de la pièce, avec trois bars installés à des endroits stratégiques, et un groupe de six musiciens qui faisait danser les convives.

Ils se frayèrent un chemin jusqu'au bar le plus près et commandèrent à boire. Jay semblait connaître un bon nombre des invités. Il fit les présentations et, en peu de temps, David bavardait, tout à fait à son aise.

— Viens avec moi voir Conrad, dit Jay à Linda. Je dois lui faire savoir que j'ai fait une apparition.

Ils trouvèrent Conrad assis à une table en train de manger de la crème glacée au chocolat et à boire du bourbon pur. Claudia, vêtue d'une robe rouge vif à volants et sertie de nombreux faux diamants, se trouvait à ses côtés.

Conrad les salua cordialement et les invita à s'asseoir en faisant déplacer deux personnes pour leur laisser la place.

— Tu te souviens de madame Cooper, Linda Cooper, dit Jay.

— Bien sûr, bien sûr. Que pensez-vous de la fête ? Je sais comment faire les choses, hein ?

— Tu es très doué, dit Jay avec admiration.

— Eh bien, bonsoir, madame Cooper, dit Claudia, en mâchonnant ses mots.

Elle buvait sans arrêt depuis plusieurs heures.

— Est-ce que monsieur Cooper est dans les parages ?

— Il l'est, oui, dit Linda. Vouliez-vous le voir à propos de quelque chose ?

— En fait, oui.

Elle renversa un verre sur la table par accident, l'alcool foncé formant une tache sur la nappe.

— Je veux lui dire quoi faire avec sa foutue campagne Beauty Maid, hoqueta-t-elle. Qu'il se la fourre dans le cul !

Linda la regarda froidement.

— Je veillerai à lui transmettre votre message, très chère, et elle se tourna vers Jay.

Claudia se leva.

— Je pense que je vais lui faire le message moi-même, dit-elle avant de s'éloigner en slalomant d'un pas incertain.

— Quel est son problème ? dit Linda

Jay haussa les épaules.

— Je ne sais pas. Qu'est-ce qui ne va pas avec ta copine, Conrad ?

Il rit.

— Elle est un peu sautée. Je lui ai promis un rôle dans le film – ça lui est monté à la tête.

— Quel rôle ?

— Celui de la fille à demi nue debout à côté du générique, dans une robe déchirée d'esclave. Elle a un corps magnifique. Si elle est photogénique, on l'utilisera. Qu'en dis-tu ?

— Pourquoi pas, dit Jay avec un sourire. Un rôle très « classe », j'imagine.

Linda se leva de la table.

— Excuse-moi une minute, dit-elle.

Elle fit le tour de la salle à la recherche de David, mais n'arriva pas à le trouver, pas plus que la fille. Elle soupira. Cela n'était probablement rien ; la fille était saoule.

Elle vit Lori entourée d'un groupe d'admirateurs et s'approcha.

— Eh bien, là d'où je viens, les femmes sont traitées comme des dames, disait Lori. Voyez-vous...

— As-tu vu David ? interrompit Linda.

— Ouais.

Elle jeta à peine un coup d'œil en direction de Linda.

— Il est allé sur la terrasse.

C'est stupide, songea Linda. Je ne devrais pas le traquer de cette façon ; c'est enfantin. Elle alla sur la terrasse et constata qu'il n'y avait personne.

Alors qu'elle s'en allait, elle entendit un faible gloussement guttural. Elle regarda à nouveau et vit dans le coin un couple enlacé.

Elle recula dans l'ombre et s'approcha un peu. La fille tirait la tête de l'homme vers son sein qui ressortait de sa robe pendant qu'elle lui caressait l'entrejambe.

— Tu es la plus démente, Claudia, marmonna David, la meilleure de toutes.

Il tirait maintenant sur sa robe de façon à révéler toute sa poitrine, jusqu'à sa taille.

— Tu m'as tellement manqué. Une nuit sans te faire l'amour, c'est atroce.

Choquée et dégoûtée, Linda s'éloigna en reculant ; ils ne l'avaient pas vue. Dans un état second, elle revint dans la salle principale.

Elle se dirigeait vers la porte de sortie lorsque Jay arriva et l'attrapa par le bras.

— Qu'y a-t-il ? Tu as vraiment mauvaise mine. Que s'est-il passé ?

Elle le fixa d'un regard impassible.

— Je dois sortir d'ici, bredouilla-t-elle.

Il la reprit par le bras fermement et l'orienta vers le bar le plus près.

— La dame veut un grand brandy, et vite, dit-il. Maintenant, raconte-moi ce qui s'est passé.

Il prit sa main et la serra.

— Raconte-moi, répéta-t-il d'une voix plus douce.

Elle le regarda, encore frappée de stupeur.

— Je me doutais qu'il courait les jupons de temps à autre à Manchester ou peut-être ailleurs, mais ce que je viens de voir… Pendant que je suis ici. C'est horrible.

Le serveur apporta le brandy et elle en avala de grosses gorgées.

— Je… je cherchais David. Je voulais le prévenir que la traînée le cherchait. Lori m'a dit qu'il était sur la terrasse. J'y suis allée et il était là avec elle. Ils s'embrassaient à bouche que veux-tu ; elle était nue jusqu'à la taille. Ils se disaient des choses…

— Oh, mon Dieu ! dit Jay. Fils de pute. Écoute… peut-être que la fille était saoule. Peut-être qu'il essayait de se débarrasser d'elle.

Les yeux de Linda étaient remplis de mépris.

— Avec des paroles comme : « Une nuit sans te faire l'amour, c'est atroce. »

— Que veux-tu faire ? lui demanda Jay. Veux-tu que je te ramène à la maison ?

Elle hocha la tête.

— Dis-moi ce que je peux faire.

— C'en est assez pour moi. C'est fini entre lui et moi. Je veux un divorce ; je le hais.

Sa voix tremblait.

— Je ne veux plus jamais lui parler.

— Écoute, ce n'est pas avisé de prendre des décisions pendant que tu es dans cet état. Laisse-moi te ramener à la maison. Je vais ensuite revenir ici et parler à David pour lui dire de ne pas rentrer chez vous.

Elle rit amèrement.

— Dis-lui de ne jamais revenir à la maison. Dis-lui de disparaître avec sa « meilleure de toutes » petite pute. Dis-lui qu'il peut faire ce qu'il veut, car je m'en fiche maintenant. J'en ai assez.

Elle prit une autre lampée de brandy.

— Je vais commencer à pleurer sous peu. Je t'en prie, sors-moi d'ici.

Ils prirent un taxi à l'extérieur de l'hôtel. Linda craignait que Lori ou David se demande où ils étaient passés et que David essaie d'arriver à la maison avant elle, mais Jay la rassura.

— Je vais être de retour dans moins d'une heure, et s'il se demande où tu es passée, il va juste te chercher. Pour ce qui est de Lori, elle ne saura même pas que je suis parti.

Linda soupira.

— Ça me gêne tellement de te faire quitter la fête et tout le reste. La situation est vraiment terrible.

— Ne sois pas gênée.

Il prit sa main de manière réconfortante.

— Si ça peut te consoler un peu, je me suis déjà trouvé dans la même situation. Un jour à Hollywood, dans une fête monstre, ma première femme, Jenny, disparut. Je l'ai cherchée partout jusqu'à ce que je la trouve au lit avec l'hôte. Alors, tu vois, je comprends très bien.

— Qu'as-tu fait?

— J'étais un imbécile; je lui ai donné une deuxième chance. Je suis rentré à la maison tôt un après-midi et l'ai trouvée en train de sauter le livreur.

Ils restèrent assis pendant un moment.

— J'imagine que, pour certaines personnes, une seule femme ou un seul homme suffit, mais ce n'est pas le cas des gens que je connais. Je suppose que la vie nous donne ce que nous méritons. J'ai été marié trois fois, chaque fois à une belle fille dotée de la faculté de raisonnement d'un lapin. C'est une maladie que j'ai, j'imagine: j'épouse des filles stupides, bêtes et belles.

— J'ai... j'ai trompé David cette semaine, dit Linda avec hésitation. La première fois en onze années de mariage. J'ai tellement honte maintenant. C'était avec un très jeune homme, vingt-deux ans en fait. Je ne sais pas pourquoi...

Sa voix s'éteignit.

— David ne m'avait pas touchée depuis des mois; nous étions tellement éloignés l'un de l'autre. Il n'était jamais à la maison. C'est arrivé, tout simplement. Je suppose que je suis aussi coupable qu'il l'est.

— Ne te sens jamais coupable. À quoi bon? La nuit porte conseil. Tu verras comment tu te sentiras demain matin. Tes enfants sont jeunes; ne prends pas de décision à la hâte.

— Bonne nuit, Jay. Merci pour tout.

— Je vais t'appeler demain, Linda. Dors tranquille; tout va bien se passer.

* * *

Claudia trouva David dans un groupe avec Lori. Elle s'approcha lentement de lui par derrière et, appuyant son corps contre le sien, mit ses mains sur ses yeux et dit avec une voix à la Marilyn Monroe: « Devine c'est qui, chéri ? »

Il n'y avait aucun doute que c'était le corps de Claudia qu'il sentait contre lui. Il était surpris et vivement excité. Elle lui faisait un effet incroyable. Il suffisait de savoir qu'elle était là pour qu'il la désire. Il se tourna lentement, en regardant autour pour voir si Linda était dans les environs. Elle ne l'était pas.

— Allo, Claudia.

— Allo, Claudia, dit-elle en imitant sa voix. Je ne mérite pas un meilleur accueil que ça ? Au fait, tu peux te mettre ta campagne Beauty Maid là où je pense !

Le groupe était tout yeux, tout oreilles, y compris Lori.

Il empoigna le bras de Claudia, meurtrissant sa chair.

— Allons trouver Linda, dit-il, s'éloignant du groupe en la tirant avec lui.

— Allons trouver Linda ! dit-elle, incrédule. Non, mais tu plaisantes ?

Il l'emmena sur la terrasse vers un coin sombre et désert. Aussitôt qu'il lâcha sa prise, elle noua ses bras autour de son cou et l'embrassa.

— Est-ce que je t'ai manqué ? susurra-t-elle. J'allais être tellement en colère contre toi, mais je ne pouvais pas.

Elle gloussa.

— Je suis complètement ivre, tu sais.

— Tu es une garce de m'avoir laissé seul dans ce restaurant, d'avoir appelé en pleine nuit. Toi, tu allais être fâchée. Et MOI alors ?

Elle mordilla son oreille, frottant son corps contre le sien. Sa robe ne tenait que par deux petites bretelles. Il les fit glisser de ses épaules et tira le haut de sa robe jusqu'à sa taille. Elle ne portait rien en dessous. Avec avidité, elle guida sa bouche vers ses seins.

Il avait perdu complètement la raison. Il était avec Claudia et il fallait qu'il la possède. Il lui importait peu d'être dans un endroit public. Ou que sa femme soit aux alentours. Ou que quelqu'un puisse arriver sur l'entrefaite.

Il faisait noir. Il la coucha sur le béton froid et souleva sa jupe. Elle ne portait pas de petite culotte ; elle ricanait.

Il la prit rapidement. Le tour fut joué en une minute.

— Bordel ! marmonna-t-il. Bordel !

Elle était encore allongée, ricanant, sa robe formant une bande autour de sa taille. Il l'aida à se relever, regarda autour, soulagé que personne ne fût sorti sur la terrasse. Elle était imperturbable.

— Nous devons retourner à l'intérieur séparément, dit-il.

— Va te faire foutre ! répliqua-t-elle.

— Je viens juste de le faire.

Il ajusta sa cravate et, à l'aide d'un mouchoir, essuya son visage pour y enlever toute trace de rouge à lèvres.

— Je t'appellerai demain. Je vais quitter le bureau plus tôt et aller chez toi. J'ai une surprise pour toi.

— Tu as toujours une surprise pour moi : tu es l'homme éternellement bandé.

Elle rit.

— Quel titre pour une émission de télé. Je l'imagine déjà : « L'homme à l'érection permanente, mettant en vedette Jean Verge ! »

Il l'embrassa.

— Entre en premier. Va directement à la salle de bain des femmes ; tu es dans un état lamentable.

— Merci, mon bon monsieur. Vous n'avez plus besoin de moi, vous en êtes sûr ?

— Allez, sois une bonne fille. Je vais essayer de t'appeler plus tard.

Elle lui tira la langue – l'agitant de manière obscène – et franchit la porte vitrée d'un pas lent, tout à fait à l'aise.

Il prit une grande inspiration ; quelle fille, pensa-t-il. Après cinq minutes, il rentra à son tour dans la salle. La fête battait encore son plein. Il prit un verre du plateau d'un serveur qui passait et se mit à chercher Linda. Croiser Claudia dans les fêtes commençait à devenir une habitude dangereuse.

Il vit Lori danser avec un acteur minable. Elle se déhanchait en secouant son arrière-train dans un rythme régulier, et lui sourit calmement. Elle savait bouger, il n'y avait pas de doute.

Il s'approcha d'elle lentement.

— As-tu vu Linda ? lui demanda-t-il.

Elle avait un air impassible.

— La dernière fois que je l'ai vue, elle se dirigeait vers la terrasse ; elle te cherchait.

— La terrasse ? dit-il, stupéfait.

— La terrasse, mon cher.

Elle se détourna de lui.

Il se mit à chercher Linda désespérément. Il se fraya une voie à travers la salle, des groupes de gens qui riaient et bavardaient. Une fille l'attrapa par le bras; elle était mince et jolie. Il se souvint d'elle : il s'agissait de l'amie de Claudia qu'ils avaient rencontrée au restaurant.

— Salut, mon joli, gazouilla-t-elle. Quelle coïncidence de te voir ici.

— Allo.

Il chercha du regard son petit ami.

— Oh, Jeremy est allé me chercher un autre verre.

Elle ne lâchait pas son bras.

— Quelle super fête, mais je ne m'attendais pas à te voir ici.

— Pourquoi pas ? dit-il patiemment.

Elle était beaucoup trop mince pour qu'il la trouve attrayante.

— Je sais que nous sommes tous très modernes, mais tu m'es apparu comme étant du type jaloux.

— Mais qu'est-ce que tu racontes ?

Il secoua son bras pour se libérer de son emprise.

— Après tout, cette fête a été organisée par Conrad Lee pour Claudia; je ne pensais pas que tu viendrais. Parce que, à bien y réfléchir, il faut éviter de mêler le plaisir aux affaires, non ? Et toi, tu es le côté plaisir, alors que lui est le côté affaires.

Elle lui fit un sourire terne.

— Voilà Jeremy avec mon verre. À plus tard, dit-elle avant de tourner les talons.

Il était furieux. Claudia n'avait rien dit à propos de Conrad Lee, ou du fait que la fête était pour elle. Salope ! Salope ! Salope ! Salope !

La recherche de Linda venait juste d'être remplacée par la quête de Claudia. Il voulait clarifier certaines choses.

* * *

Jay revint à la fête. Il était songeur. Il se trouvait dans la situation délicate de dire à un homme qu'il ne pouvait pas aller retrouver sa femme dans sa propre maison. Le risque que cela se termine par un coup de poing était élevé. Il vit David de l'autre côté de la salle en train de parler à une fille. David Cooper. Un bel homme, grand et ténébreux, tombeur de ces dames. Lori avait dit qu'elle croyait qu'il était probablement plutôt doué au lit, mais selon ce que Linda lui avait dit, ce n'était pas le cas. Lori avait la fâcheuse habitude de penser que tous les hommes étaient des as au lit. C'était sa façon de lui faire savoir qu'elle pensait que lui-même ne l'était pas.

Il s'approcha rapidement de David pour lui expliquer la situation ; il valait mieux en finir le plus vite possible.

David était estomaqué. Il essaya de nier, mais lorsque Jay lui répéta mot pour mot ce que Linda lui avait dit, il fut forcé de l'admettre.

— Tu es un imbécile, lui dit Jay. Tu as une femme exceptionnelle. Si tu veux baiser à droite et à gauche, pourquoi le faire sous son nez ?

— Qu'est-ce qu'elle compte faire ?

— Elle a parlé de divorce.

— C'est ridicule. Elle n'a aucune preuve. J'ai embrassé une fille dans une fête – ça ne prouve rien. Je rentre à la maison. Je n'accepterai pas qu'on m'empêche de rentrer dans ma propre maison.

— Je ne peux pas t'arrêter, dit Jay en haussant les épaules. Je ne peux que te donner un conseil. Elle est en état de choc. Rentrer à la maison ne fera qu'envenimer la situation. Si tu attends jusqu'à demain matin, je suis convaincu que vous verrez tous deux les choses plus clairement.

— Je connais Linda. Elle est fâchée, mais je peux lui expliquer la situation.

Jay le foudroya du regard.

— Je lui ai promis que tu garderais tes distances ce soir.

David le foudroya du regard à son tour.

— C'est bien dommage, mon ami, mais je rentre chez moi de ce pas.

Ils continuèrent à se fixer du regard pendant un moment.

— Bonsoir, pauvre con, dit Jay. N'oublie pas de dire bonsoir à ta petite amie. Tu la trouveras sûrement en train de lécher le derrière de Conrad.

Chapitre 12

Lorsque David arriva à la maison et inséra sa clef dans la serrure de la porte d'entrée, celle-ci ne fonctionnait pas. Il gratta une allumette pour s'assurer qu'il avait la bonne clef, mais bien qu'elle tournât sans problème, la porte restait absolument fermée. Il comprit aussitôt : Linda avait verrouillé de l'intérieur.

Il fit le tour jusqu'à l'arrière, mais la porte y était également verrouillée. Une grande colère l'étouffa. Il revint à la porte avant et appuya fermement son doigt sur le bouton de la sonnerie. Le son du carillon était fort et insistant. Il n'y avait pas de réponse. Il essaya à nouveau, cette fois-ci en gardant son doigt appuyé sur le bouton pendant plusieurs minutes. Une lumière s'alluma dans une fenêtre à l'étage. C'était la lumière de la chambre de la bonne. Il attendit patiemment qu'elle descende pour lui ouvrir la porte, mais il n'en fut rien. Après un moment, la lumière s'éteignit.

Il était furieux. Linda était de toute évidence debout et avait dit à Ana de ne pas tenir compte de la sonnerie. Il frappa la porte d'un violent coup de pied, ne réussissant qu'à se faire mal.

C'est incroyable, se dit-il. À qui pense-t-elle que la maison appartient ?

— Linda, hurla-t-il, ne me fais pas ça ! Ouvre la porte où je vais aller à la police.

La maison demeurait sombre et sans vie. Il martela la porte de ses poings. Rien. Il appuya sans cesse sur le bouton de la sonnerie. Rien. Soudainement, il entendit le faible son des pleurs d'un enfant provenant de l'étage. Il resta devant la porte, indécis. Il se sentait coupable d'avoir réveillé les enfants, mais c'était la faute de Linda qui ne l'avait pas laissé entrer. Il appuya une dernière fois fermement sur le bouton de la sonnette avec insistance. Étonnamment, il entendit le verrou glisser et la porte s'ouvrit de quelques pouces. Il poussa sur la porte pour l'ouvrir davantage, mais celle-ci heurta violemment la chaîne de sécurité.

Linda le regarda de l'intérieur, blême, en colère.

— Va-t'en ; tu me donnes la nausée.

Sa voix était atone et fatiguée.

— Allez, laisse-moi entrer ; on va discuter. Ce n'était rien ; j'étais saoul.

— Je ne veux pas te parler. Je ne veux pas te voir. Retourne à ta pute et laisse-moi tranquille.

Elle lui claqua la porte au visage.

Il jura et martela la porte en criant.

— Tu vas le regretter, Linda, hurla-t-il. Je vais partir et je ne reviendrai jamais !

Elle n'ouvrit pas. Furieux, il retourna à sa voiture, s'installa au volant et démarra le moteur avec rage.

* * *

Lorsque David quitta la fête, Jay téléphona à Linda pour la prévenir. Il accrocha ensuite Lori, qui dansait corps à corps avec un ambassadeur à la peau foncée, et l'assit dans un coin.

— Tu as vu David sortir avec cette fille sur la terrasse. Qu'est-ce qui t'a pris, grande gueule ? Pourquoi l'as-tu dit à Linda ?

Elle avait l'air indifférente.

— Je ne sais de quoi tu jases, mon chéri, dit-elle de sa voix traînante. Il se passe quelque chose ?

— Oui, il se passe quelque chose.

Il haussa les épaules avec dégoût.

— Es-tu aussi stupide que tu le laisses paraître ?

Elle devint boudeuse.

— Tu es si méchant avec moi, Jay. Je ne sais pas pourquoi je t'ai épousé.

— Est-ce que deux manteaux de vison, un autre de zibeline, un manoir et plusieurs voitures te disent quelque chose ?

Elle se leva, passant ses mains sur son corps comme pour éliminer des plis imaginaires de sa robe.

— Je retourne danser ; tu m'as interrompue tantôt. Je dansais avec un très gentil monsieur important.

Elle s'éloigna, belle, glaciale.

Jay secoua la tête, désespéré. C'était une idiote ou une garce ou une ingénieuse combinaison des deux.

Les bruits provenant de la table de Conrad et de son groupe s'intensifiaient graduellement. Des éclats de rire, des verres renversés... Claudia, montée sur la table, dansait. Elle prit conscience qu'elle ne portait pas de culotte lorsqu'elle vit que des hommes regardaient sous sa robe. Sous des cris d'encouragement, elle commença à retirer lentement sa robe.

Jay fut témoin de la scène. Il était terriblement sobre. Ils semblaient tous se comporter comme une bande de singes sauvages. Il était dégoûté.

Une grande foule se réunissait autour de la table, les yeux exorbités devant Claudia qui se donnait en spectacle. L'ambassadeur étranger s'y précipita avec Lori. L'effeuillage fut de courte durée étant donné que Claudia n'avait que sa robe à enlever. Elle la lança d'un seul coup de pied et se mit à danser au son de la musique en faisant des mouvements circulaires. Son corps luisait dans toute sa splendeur, et l'auditoire masculin s'approchait de plus en plus pendant que les femmes, soudainement jalouses devant une telle perfection, commencèrent à essayer d'en éloigner leurs maris.

Un homme visiblement exaspéré portant des pantalons rayés et un veston noir se fraya un chemin vers la table. Il représentait la direction. Choqué et horrifié, il s'approcha de Conrad, saoul, qui le renvoya de la main.

— Nous allons devoir appeler la police si cette... cette... femme ne se rhabille pas immédiatement.

Claudia lui tira la langue, la seule partie de son corps qui n'avait pas été exposée au public.

Bien sûr, la police finit par arriver. Ils enveloppèrent Claudia d'une couverture et l'emmenèrent au poste, puis l'accusèrent d'attentat à la pudeur.

L'événement fit la manchette des journaux le lendemain matin. Claudia était la vedette du jour. Elle fut photographiée et citée, et Conrad tira immédiatement profit de sa vague de publicité en annonçant qu'elle serait dans son prochain film. Il communiqua avec son agent et signa un contrat pour deux jours de travail.

Elle était ravie. Elle revint du poste de police à l'heure du dîner, triomphante. Elle tint un point de presse, se fit prendre en photo d'innombrables fois avant d'être emmenée au studio dans une voiture avec chauffeur pour des essais de maquillage et de coiffure. Conrad n'y était pas, mais des professionnels chevronnés s'occupèrent d'elle. Elle était satisfaite ; il lui avait été utile pour arriver à ses fins.

Lorsqu'elle revint chez elle en soirée, elle trouva David devant sa porte.

Sobre et grisée par son soudain succès, elle le trouva moins séduisant.

— Que veux-tu ? lui dit-elle froidement. Dis donc, tu m'as vue dans les journaux aujourd'hui ?

Elle redevint enthousiaste.

Il la suivit à l'intérieur et se versa immédiatement un verre.

Elle papillonna autour de l'appartement en babillant, oubliant sa froideur initiale. Après tout, David appartenait à quelqu'un d'autre et c'était elle qu'il venait voir.

— Je t'emmène manger ce soir. Où aimerais-tu aller ? lui demanda-t-il.

Elle rit.

— Oh. Je vois. Je suis soudainement une vedette et tu veux être vu avec moi. Qu'en est-il de ta petite femme ce soir ? Ne crains-tu pas que l'un de ses espions nous voie ?

— Tu n'as plus à te soucier de Linda ; je l'ai quittée.

Le silence pesa lourd dans la pièce jusqu'à ce que Claudia s'approche de lui lentement et lui donne un ardent baiser.

— Tu l'as quittée pour moi ?

— Pour toi.

Il caressa son dos et referma ses mains sur ses fesses.

— Lorsque je t'ai vue dans les journaux ce matin et que j'ai compris ce qui s'était passé, continua-t-il, je savais que ça ne pouvait plus continuer comme ça, il fallait que nous soyons ensemble. J'ai donc dit à Linda que je voulais un divorce. Me voici donc.

Elle secoua la tête, incrédule.

— Tu l'as vraiment quittée pour moi? Mais c'est complètement fou!

— Je vais divorcer d'avec elle et t'épouser, dit-il avec fermeté.

Elle fit le tour de la pièce.

— Je ne veux pas me marier, mais merci de l'intention. Mon chéri, on peut faire ce que l'on veut, aller où l'on veut. C'est super!

Il la suivit pendant qu'elle faisait le tour de l'appartement.

— Tu ne comprends pas. J'ai dit que je t'épouserais.

Elle rit.

— Mais je ne le veux pas.

— Moi, je le veux.

Il l'agrippa. Elle portait un chandail orange moulant, des pantalons de la même couleur et des bottes blanches en cuir verni.

Elle se libéra de son emprise.

— Écoute, mon ange. Soyons clairs à ce sujet. Je n'ai aucune, je le répète, aucune envie de me retrouver la bague au doigt. Alors, arrête de me le proposer comme s'il s'agissait de l'offre du siècle. Je ne veux pas t'épouser!

Elle criait presque, et, sentant son humeur, il laissa tomber le sujet.

— Où devrions-nous aller? dit-il. Nous pouvons aller où tu veux.

Elle s'étira comme un chat dans son ensemble orangé.

— Je suis fatiguée. Je n'ai pas envie de m'habiller et de sortir.

Il la regarda d'un air surpris.

— Tu te plains toujours que nous n'allons jamais nulle part. Maintenant que nous pouvons aller n'importe où, ça ne te tente pas.

Elle se laissa choir dans une chaise, les jambes suspendues par-dessus l'accoudoir.

— As-tu déjà entendu l'histoire du petit garçon qui voulait des bonbons ? Il gémit, pleura et fit tous les temps jusqu'à ce qu'il obtienne ce qu'il voulait. Il en mangea tellement qu'il se rendit malade.

Elle gloussa.

— Tu comprends le message ?

— Mais quel est donc ton problème ? Tu ne saisis pas ce que j'ai fait pour toi aujourd'hui ?

Elle haussa les épaules.

— Pour moi ? Je croyais plutôt que c'était pour toi. Où vas-tu habiter ?

— Je me prends un appartement. D'ici à ce que je le trouve, j'ai pensé que je pourrais habiter ici. Nous pourrions ensuite emménager ensemble dans le nouvel appartement.

Elle examina ses ongles, admirant leur reflet perlé.

— Est-ce que ce sera un *penthouse* ?

— Qu'est-ce qui sera un *penthouse* ?

— L'appartement que tu comptes louer.

Il y eut un silence.

— Eh bien, oui ou non ? poursuivit-elle.

— Je ne sais pas. Est-ce si important ? Nous trouverons un *penthouse* si c'est ça que tu veux.

Elle sourit enfin et ronronna, heureuse.

— Oui, c'est ça que je veux. Est-ce que je peux commencer à chercher demain ? On risque d'être à l'étroit toi et moi, ici.

Elle allongea les bras vers lui.

— Je suis désolée d'avoir été chiante, mais la journée a été chargée.

Il se laissa tomber dans ses bras, l'embrassa et sentit immédiatement le désir monter en lui, comme d'habitude. Elle l'embrassa avec fougue, passant sa langue sur ses dents et ses ongles acérés sur sa nuque. Il tendit les bras vers son corps, mais elle le repoussa et se leva d'un seul bond.

— Pas maintenant, mon lapin. Allons souper et après – penses-y – on pourra revenir ici ensemble. Tout sera différent.

Elle alluma la chaîne stéréo. Le son des Stones remplit la pièce. Elle se mit à danser, enleva son chandail et ses pantalons en se tortillant au rythme de la musique. Elle portait un léger soutien-gorge et les bottes blanches en cuir verni.

Il la regardait, ensorcelé.

— Tu ne portes jamais de petites culottes ?

— Pourquoi gâcher la ligne ?

Elle rit.

— Est-ce que ça t'agace ? Personne ne s'est jamais plaint !

Elle disparut dans la salle de bain et il entendit l'eau couler dans la baignoire. Il entra à son tour. Elle était penchée au-dessus du bain à le remplir de bulles. Elle avait enlevé son soutien-gorge, mais avait gardé ses bottes.

Il l'agrippa par-derrière. Elle se débattit faiblement, riant à moitié. Il tenta de garder son emprise sur elle et de se dévêtir en même temps, mais elle glissa et tomba dans le bain. Elle était tordue de rire, mouillée et couverte de bulles. Elle passa ses jambes par-dessus le bord du bain; elle portait encore ses bottes.

Il se déshabilla à la hâte et la suivit dans la baignoire. L'eau déborda.

— Je pense que je vais aimer vivre ici, dit-il.

Chapitre 13

Le soleil filtrait dans la chambre et David ne pouvait plus dormir. Claudia était étendue de tout son long à ses côtés, prenant plus que sa juste part du lit. Elle prétendait qu'elle ne pouvait dormir avec les rideaux tirés, ce qui expliquait le fait que chaque matin la lumière le réveillait un peu trop tôt. Il jeta un coup d'œil à sa montre. Il n'était que six heures trente et ils s'étaient couchés à quatre heures. Il se sentait fatigué et horrible, et avait mal aux cheveux. Il lui était inutile de se lever pour aller tirer les rideaux : une fois réveillé, il lui était impossible de se rendormir.

La spacieuse chambre était complètement en désordre. Claudia avait l'habitude de laisser tomber ses vêtements sur le sol et de les y laisser. Il fallait savoir où mettre les pieds à travers le fouillis.

Incroyable à quel point ma vie a changé au cours des six derniers mois, pensa-t-il.

La nouvelle robe qu'il lui avait achetée était toute chiffonnée au pied du lit. Elle était faite de mousseline rouge plissée. Elle l'avait aperçue dans une vitrine de Bond Street et il lui en avait fait cadeau le lendemain. Il l'avait payé un prix de fou.

Il la ramassa. Elle y avait renversé du vin, et une tâche quelconque y était incrustée.

Dans la salle de bain en marbre vert attenante à la chambre, le chaos se poursuivait. Comme elle n'avait pas tiré le bouchon du bain, il était plein d'une eau froide et sale. Des bouteilles de fond de teint et des brosses à cheveux et des parfums étaient dispersés partout. L'évier était bouché par un amas de savon et de cheveux sous un robinet doré qui fuyait.

En dessous de tout ce désordre se trouvait un très bel appartement. Un *penthouse*, comme elle avait voulu, dans un immeuble d'appartements à Kensington. Le loyer hebdomadaire était beaucoup trop élevé. En fait, c'était une fortune. Mais Claudia l'aimait et ne voulait pas déménager.

Il vida le bain et ramassa les serviettes. Il aurait vraiment aimé qu'elle apprenne à avoir de l'ordre, mais cela semblait lui être impossible. Avec Linda, il y avait une place pour chaque chose et chaque chose avait sa place.

Il traversa un couloir en miroir et arriva dans la cuisine. Il y avait des tasses de café à demi bu, des piles hautes de vaisselle sale, des cendriers pleins desquels se dégageait une odeur nauséabonde.

Heureusement, on était vendredi, ce qui signifiait l'arrivée d'une nouvelle femme de ménage. Lorsque la précédente avait appris qu'ils n'étaient pas mariés, elle était partie, dégoûtée, et avait laissé une note un peu obscure: «Je n'ai pas l'habitude de telles saletés.» À l'origine, il croyait qu'elle faisait référence à l'état dans lequel Claudia laissait les choses, mais le portier lui avait expliqué la vraie signification de la note.

Il se prépara une tasse de thé fort et réussit à brûler deux rôties. Claudia avait acheté un petit terrier Yorkshire jappeur qui se précipita dans la cuisine, sûrement impatient d'aller faire une promenade. Il dormait habituellement sur le lit avec eux et se frayait un passage sous les draps, la nuit. David le détestait. Il ne pouvait supporter les petits chiens.

Il le laissa renifler dans la cuisine et alla dans l'immense salle de séjour à aire ouverte. C'était la pièce de résistance de l'appartement, une belle pièce spacieuse, un mur entièrement de verre, menant à une terrasse paysagée. Un autre mur était en marbre, et le reste des murs étaient des miroirs. La pièce était sens dessus dessous. Ils avaient invité des gens à prendre un verre la veille avant de sortir, et des bouteilles à demi vides semblaient se trouver partout au milieu de cendriers débordants, de noix, de magazines, de photos de Claudia, de coussins par terre. Dieu merci, tout allait être nettoyé aujourd'hui. David aimait l'ordre.

Il alla à la porte avant pour cueillir ses journaux, en tirant *The Times* et le *Guardian* du lot de divers magazines de cinéma et de mode que Claudia semblait faire livrer quotidiennement.

Il but son thé, qui était trop fort. Il mangea sa rôtie brûlée. Il lut les nouvelles à travers des yeux à moitié fermés. Il allait bientôt être l'heure de s'habiller et d'aller travailler.

* * *

Linda s'éveilla tôt. Le soleil brillait et la journée était magnifique. Elle se sentait bien. Enfin, elle commençait à savourer le plaisir égoïste de dormir seule : prendre toute la place voulue dans le lit, se réveiller et dormir lorsqu'elle en avait envie et pouvoir utiliser la salle de bain n'importe quand.

La décision d'obtenir un divorce avait été difficile au début. Elle pensait à ses enfants qui allaient devoir grandir sans un père. Mais le fait que David ait déménagé et qu'il se soit installé avec Claudia l'avait aidée à être forte.

Elle avait trouvé un bon avocat et elle était entre bonnes mains. C'était très simple, en fait.

Aujourd'hui, elle allait se présenter en cour, se tenir calmement devant un juge et exposer les faits. Son avocat, un homme trapu de petite taille aux cheveux gris, serait à ses côtés. Un agent d'enquête serait présent pour offrir de l'information pertinente. Son conseiller juridique était un bel homme, grand et sympathique. Il leur avait assuré que tout se déroulerait sans heurts. Le cas était non contesté et bien défini.

Elle avait choisi attentivement ses vêtements: un costume soigné de couleur brun foncé, des chaussures à talons bas. Son maquillage était léger. Elle se regarda dans la glace et croyait qu'elle avait la tête de l'emploi, celui d'une femme abandonnée, triste, courageuse et seule.

Les enfants restaient avec sa mère. Elle mangea seule son déjeuner composé d'œufs à la coque et d'un café, se disant qu'elle aurait préféré entendre les éclats de rire de ses enfants en ce moment.

Lorsqu'elle aurait fini à la cour, elle allait se joindre à eux pour la fin de semaine et ils reviendraient tous les trois à la maison, le lundi.

La maison lui appartenait maintenant. Les dispositions financières avaient été prises à l'amiable. Elle avait obtenu la maison et une pension alimentaire relativement généreuse pour elle-même et les deux enfants.

David venait rendre visite aux enfants chaque fin de semaine, le samedi ou le dimanche. Linda avait toujours réussi à l'éviter. En fait, elle ne l'avait pas vu depuis trois mois, et par la suite le bureau de son avocat était responsable de finaliser les dispositions financières du divorce.

Il n'y avait qu'une seule condition à laquelle elle tenait relativement à ses visites aux enfants: elle ne voulait en aucune circonstance qu'ils se retrouvent en compagnie de Claudia. David était d'accord sur ce point.

Elle finit de boire son café. Il serait bientôt l'heure de se rendre au bureau de son avocat et de l'accompagner en cour.

* * *

Claudia se réveilla à onze heures. Quelqu'un sonnait à la porte. Elle se leva et chercha à tâtons la porte d'entrée, tentant d'enfiler un kimono rose vaporeux et couvert de taches de maquillage.

Une petite femme trapue se tenait devant elle.

— Je suis madame Cobb, annonça-t-elle. C'est l'agence qui m'envoie.

Ses mains étaient lourdes et rouges, et elle avait un vieux visage.

— Entrez, madame Cobb, dit Claudia, retenant un bâillement. Je crains que l'endroit soit dans un désordre total, mais je suis convaincue que vous vous débrouillerez.

Elle l'emmena dans la cuisine et lui montra les produits sous l'évier.

— Vous trouverez tout ce dont vous avez besoin ici. Excusez-moi, je dois vous laisser ; je me suis couchée très tard.

Madame Cobb jeta un regard mécontent autour sans rien dire.

Claudia sortit du réfrigérateur une boîte de pêches ouverte et en versa le contenu dans un bol.

— Mon petit-déjeuner, dit-elle avec un sourire candide, et elle passa dans le salon pour cueillir les magazines et les journaux avant d'entrer dans la chambre.

Le dos confortablement appuyé contre la tête du lit, elle feuilleta nonchalamment les journaux, le *Daily Mail* étant son préféré. C'était la page des spectacles qui l'intéressait. Elle la balaya des yeux, cherchant comme toujours n'importe quelle mention de Conrad Lee. Elle était ravie : aujourd'hui, il y avait un article complet sur le lieu de tournage de son film en Israël. On pouvait y lire que la compagnie reviendrait en Angleterre à la fin de la semaine pour le travail en studio.

Elle dessina un grand cercle autour de l'article et téléphona à son agent avec le téléphone rose nacré posé sur sa table de chevet. Il lui restait encore deux jours de travail à faire sur le film de Conrad. Les choses s'étaient compliquées quelque peu, et l'équipe de production devait aller sur le lieu de tournage avant que ses scènes soient tournées. Or, la société cinématographique avait promis à son agent que, dès le retour de l'équipe, la présence de Claudia serait requise pour ses deux jours de tournage.

Elle transmit la bonne nouvelle à son agent et il promit de s'informer immédiatement.

Elle s'étira langoureusement. Les derniers mois, depuis leur emménagement dans le *penthouse*, avaient été amusants, même si David devenait de plus en plus ennuyeux. Le luxueux appartement était le plus beau de tous. Ses amis étaient fort impressionnés. Elle y avait fait de nombreuses séances de photo, et elle était toujours ravie lorsqu'elle les voyait dans diverses revues où l'on pouvait lire que la ravissante jeune actrice et mannequin Claudia Parker se détendait dans son luxueux appartement.

Elle attendait Gilles à quatorze heures ; il allait prendre une photo d'elle nue pour un grand magazine américain pour hommes. Elle espérait que David travaillerait tard ce soir parce que Gilles lui déplaisait profondément, en dépit du fait qu'il ignorait qu'elle avait eu une aventure avec lui. De toute façon, s'il avait su qu'elle allait poser nue, il aurait été furieux. Il était très vieux jeu sur ce plan.

Le magazine les rémunérait tous deux grassement pour une double page. Peu importe, cela ne l'ennuyait pas d'afficher son corps. Il valait la peine, de toute évidence, d'être montré.

Elle s'allongea en bâillant. Il faudrait bientôt qu'elle se prépare. D'ici là, elle pouvait relaxer.

* * *

David était fatigué et de mauvais poil lorsqu'il arriva au bureau. Sa secrétaire l'accueillit avec un air inquiet.

— Monsieur Cooper, votre oncle désire vous voir immédiatement. Son adjointe a dit que vous devriez vous rendre directement à son bureau.

Bon, qu'y avait-il à présent ? Une convocation d'oncle Ralph n'annonçait jamais rien de bon. Son oncle avait vivement désapprouvé sa séparation de Linda. Le divorce était très mal vu, et oncle Ralph pouvait être religieux à ses heures.

Celui-ci était assis comme un petit vautour chauve derrière son bureau de style du début de l'ère victorienne. Sa secrétaire, Penny, une blonde aux grands yeux, fit entrer David.

Il scruta ses longues jambes sexy que révélait sa jupe ultracourte. La seule belle secrétaire de tout l'immeuble était, bien sûr, celle de l'oncle Ralph.

— Bonjour, David, grommela l'oncle Ralph. Assieds-toi, assieds-toi. Je voulais te parler du compte Fulla Health Beans.

— Nous ne l'avons plus.

— En effet, en effet. C'est de ça que je veux te parler.

Son oncle se lança dans une longue tirade sur les raisons pour lesquelles ils avaient perdu le compte. Selon lui, la cause était l'attitude peu enthousiaste de David, et le fait qu'il semblait toujours fatigué. Il laissa entendre que le poste était peut-être trop exigeant pour lui.

David écouta attentivement, disséquant les paroles de l'oncle Ralph, car chaque mot qui sortait de la bouche de ce dernier signifiait toujours autre chose. Ce qu'il disait en fait était ceci : « Ne rentre pas ici à reculons parce que tu as été debout toute la nuit avec une poupée bien tournée. Travaille ou fous le camp. » Il conclut son sermon en lui disant que monsieur Taylor de Fulla Beans était en ville un soir de plus et qu'il était disposé à revoir sa décision de leur retirer le compte.

— Alors, emmène-le souper, dit oncle Ralph. Parle-lui de nos plans – force un peu la dose. Saoule-le, divertis-le. Emmène-le dans une boîte de nuit et arrange le coup avec une hôtesse. Fais-lui plaisir. Peu importe comment tu t'y prends, je veux récupérer le compte.

— Oui, monsieur.

David se leva. Penny était assise derrière son bureau dans le secrétariat, les jambes soigneusement croisées sous le meuble. Elle lui sourit, l'invitant à regarder dans ses grands yeux innocents. Il se demandait vaguement si les rumeurs voulant qu'elle couche avec le vieux vautour étaient fondées. Il aurait bien aimé se taper ce beau morceau, ne serait-ce que pour prendre le dessus sur l'oncle.

Il se pencha au-dessus de son bureau.

— Comment se fait-il que je ne te voie qu'ici ?

Son sourire s'élargit, mais avant qu'elle puisse répondre, la sonnerie retentit sur son bureau et elle se leva subitement. Oncle Ralph avait sûrement prévu le coup et la rappelait à son bureau pour la garder en sécurité.

Elle s'enfuit, emportée par ses séduisantes jambes émergeant de sa minijupe.

David, morose, retourna à son bureau et à sa propre secrétaire, un petit bout de femme blême et terne, plate comme une planche. Elle était folle de lui. Elle tentait de le cacher, ce qui rendait son attirance encore plus évidente.

— Monsieur Cooper, dit-elle anxieusement, est-ce que tout va bien ?

— Tout va bien.

Maussade, il s'assit à son bureau. L'idée de faire la tournée des grands-ducs avec monsieur Taylor de Fulla Beans pendant une soirée entière était déprimante.

— Oh, cher monsieur Cooper.

Sa secrétaire se tordait presque les mains.

— Oh, mon Dieu, continua-t-elle, il fallait aussi que ça arrive aujourd'hui.

— Qu'y a-t-il de si spécial aujourd'hui ?

— Votre divorce, c'est aujourd'hui, dit-elle en baissant les yeux. Enfin, je veux dire...

C'était bien cela ; il avait complètement oublié. Comme cela était étrange que Linda puisse aller devant un juge et divorcer d'avec lui sans qu'il ait à être présent. Cela lui semblait incongru.

Son avocat lui avait écrit il y avait longtemps pour l'aviser de la date. Il lui avait dit qu'il ferait en sorte que quelqu'un soit présent comme simple formalité.

Sa secrétaire se tenait nerveusement à côté de son bureau.

— Merci pour ce petit rappel réjouissant, mademoiselle Field, dit-il.

Elle rougit.

— Excusez-moi ; je croyais que vous le saviez…

Ses paroles s'estompèrent.

— Aimeriez-vous du café, monsieur Cooper ?

— J'aimerais bien, oui, mademoiselle Field.

Elle s'enfuit de son bureau, reconnaissante, au bord des larmes.

— Fils de pute ! marmonna-t-il. Fils de pute !

* * *

Une atmosphère de morosité régnait dans le hall d'entrée menant aux salles d'audience. Il y avait des gens qui couraient dans toutes les directions, de longs couloirs et des escaliers partout. L'atmosphère générale était des plus déprimantes.

L'avocat de Linda l'agrippa par le bras et l'orienta vers diverses volées de marches et dans plusieurs vieux ascenseurs. Parvenir là où ils devaient se rendre prenait un temps fou.

— J'espère que ton cas va être entendu avant la pause pour le dîner, dit-il. Il y a fort à parier qu'il le sera.

— Combien de temps ça prendra ? demanda-t-elle nerveusement.

— Pas beaucoup. Tout est très relativement simple ; ça ne devrait pas être long.

Ils arrivèrent dans un long couloir bordé de bancs. Linda présuma que c'était ici qu'ils devaient attendre. Il y avait une foule parsemée de quelques hommes portant des perruques blanches bouclées et des toges noires.

Son avocat fit signe à l'un d'eux de s'approcher.

— Voici votre conseiller juridique, monsieur Brown.

Monsieur Brown était un grand homme d'allure fière au visage basané et plissé. De sa voix calmante et hypnotisante, il discuta brièvement avec Linda des questions qu'il allait lui poser.

Elle se sentait malade. Toute cette histoire était vraiment terrible. Elle avait des papillons dans le ventre. Elle se demandait s'il n'y avait pas une salle de bain tout près où elle pourrait aller s'effondrer.

— Je crois qu'il serait peut-être bien de rentrer pour écouter quelques cas avant que ce soit le tour du vôtre, lui dit son avocat. Ça vous donnera la chance de voir comment les choses se déroulent.

Elle hocha la tête d'un air sombre. Il la conduisit à travers une porte ordinaire menant à une salle tout aussi ordinaire, où elle fut ébranlée. L'immense salle majestueuse qu'elle s'était imaginée était plutôt petite et simple, comportant environ six rangées de bancs où étaient assis des spectateurs. Le juge présidait depuis un petit bureau légèrement en surplomb, et un podium surélevé en bois était réservé au témoin. C'était horrible. Tout le monde était entassé comme des sardines. On se serait cru dans le salon d'une maison transformé en salle d'audience pour la journée.

Elle prit place sur un banc dur en bois. Un homme de petite stature était debout à la barre des témoins et se faisait interroger.

— Et saviez-vous à l'époque que votre femme avait eu des relations sexuelles avec monsieur Jackson ?

— Oui, monsieur.

— Et est-ce cette journée-là qu'elle a fait ses bagages et qu'elle est partie ?

— Oui, monsieur.

— Vous laissant la maison familiale et les enfants issus de votre mariage, Jennifer et Susan ?

— Oui, monsieur.

Le cas n'en finissait plus, le petit homme n'affichant aucune expression pendant qu'il répondait aux questions une à la suite de l'autre.

Le juge était assis sagement sur son banc, faisant signe de la tête à l'occasion et ayant l'air aux yeux du monde d'un vieux hibou sénile. Après avoir entendu toute la preuve, il fit entendre à peine plus qu'un marmonnement :

— Divorce accordé. Garde des enfants. La pension alimentaire est soumise à la cour. Cas suivant, s'il vous plaît.

L'homme impassible de petite stature se mit soudainement à sourire, ses épaules raidies, et il quitta la salle, heureux.

Le cas suivant était celui d'une blonde effacée au fort accent qui voulait obtenir le divorce de Joe qui, selon les déclarations, était un maniaque sexuel extrêmement séduisant.

Quelle injustice, se dit Linda à elle-même, nous sommes les innocentes victimes, mais c'est nous qui devons nous présenter dans cette minable petite salle et révéler les aspects les plus personnels de nos vies.

— Vos relations conjugales étaient-elles satisfaisantes au début ? demanda le conseiller.

— Oh, que oui ! répliqua la timide blonde, générant un rire étouffé provenant de la salle d'audience.

Enfin, ce fut au tour de Linda. Elle se tenait tremblante à la barre des témoins, terriblement consciente de la proximité des gens. Elle détestait les rangées de spectateurs. Pourquoi devrait-il leur être permis d'être assis là, à regarder et à écouter ? C'était injuste. Après qu'elle eut prêté serment, son conseiller commença à lui poser des questions. Elle répondit d'une petite voix éteinte, en regardant droit devant elle.

Un agent d'enquête remit au juge un document que ce dernier inspecta brièvement. Son conseiller continua de lui poser des questions, qui étaient des déclarations de faits qu'elle n'avait qu'à confirmer. Il indiqua finalement au juge qu'il avait terminé.

Le juge ajusta ses lunettes, scruta Linda du regard pendant quelques brèves secondes.

— Divorce accordé, garde des deux enfants et frais à être réglés par le mari, déclara le juge. Pension alimentaire et accès soumis à la cour.

Tout était terminé. Elle quitta la barre des témoins, hébétée. Son avocat se précipita vers elle et prit son bras.

— Félicitations, murmura-t-il.

* * *

Gilles était en retard, évidemment. Il était toujours en retard. Lorsqu'il arriva, il était chargé d'appareils photo et avait l'air fatigué.

— Donne-moi un café noir fort, ma chérie, dit-il. J'ai passé une affreuse matinée à prendre en photo des soutiens-gorge au cœur de New Forest.

Il s'enfonça dans une chaise, étirant ses jambes devant lui en bâillant.

— Wow, quel appart ; il vaut presque la peine que tu endures ton copain.

— Presque ? questionna Claudia.

Elle s'était maquillée de façon très habile : fond de teint pâle et velouté, fard à joues savamment mélangé, rouge à lèvres pastel et d'immenses yeux aux cils papillonnants. Elle était superbe.

— Ouais, presque. Je veux dire, chérie, quel casse-pieds. Tu es splendide ; dommage que les photos ne puissent être prises en soirée. Jusqu'à quelle heure puis-je rester ?

— Jusqu'au retour de David. Tu sais à quel point il est jaloux. Je vais lui donner un coup de fil vers dix-sept heures pour lui demander à quelle heure il compte rentrer.

— Je veux prendre des photos complètement dingues sur la terrasse, ta silhouette avec Londres comme toile de fond. Tes cheveux flottants et tout le tra-la-la.

— Ça m'enchante.

Elle portait une blouse en denim rose insérée dans des pantalons assortis agrémentés d'une ceinture avec une boucle dorée et des bottes blanches.

— Bel ensemble, dit-il. On peut commencer avec celui-ci et enlever un morceau à la fois.

— Et puis, comment va ta vie amoureuse ? demanda-t-elle. Tu sors encore avec l'échalote ?

— Ouais. On casse à peu près toutes les deux semaines, mais en ce moment nous sommes ensemble.

— Je la vois sur la page couverture de tous les magazines. C'est étonnant parce qu'elle n'est pas si jolie que ça, mais elle est magnifique en photo.

— Elle a un visage qui se prête à l'objectif, tu sais. Quand elle voit un appareil photo, son visage s'illumine et s'anime. Sinon, il est figé. Notre aventure continue parce qu'en fait, c'est avec mon appareil qu'elle baise, et j'adore les résultats. Elle me fait faire tellement d'argent ; toutes les photos que je fais d'elle me rapportent.

La sonnerie du téléphone retentit. C'était l'agent de Claudia et il avait de bonnes nouvelles. En effet, l'équipe de tournage revenait au pays quelques jours plus tard, et ses services seraient probablement requis la semaine suivante.

— Le réalisateur prend l'avion aujourd'hui, lui dit son agent. Et la compagnie cinématographique va tenter d'obtenir de lui une date fixe.

— Merveilleux.

Elle était ravie. Elle attendait ce moment depuis six mois.

— Commençons, dit Gilles lorsqu'elle raccrocha, avant que je tombe endormi.

Il travailla rapidement, alternant entre trois appareils photo. Il y consacrait toute son énergie, devenant entièrement absorbé par ce qu'il faisait.

Claudia s'épanouissait devant un objectif, faisant la moue, souriant, rugissant comme une tigresse. Elle fixait l'appareil avec ses immenses yeux au regard innocent, lèvres luisantes entrouvertes. Elle déboutonna le chemisier rose, laissant les deux pans tomber librement. Elle ne portait pas de sous-vêtement.

Après un moment, Gilles lui demanda d'enlever son chemisier et de croiser ses bras sur ses seins.

— Exactement – parfait ! Rugis pour moi. C'est beau, ma chérie. Jambe légèrement fléchie, regard étonné... Merveilleux ! Maintenant, couvre tes seins avec tes mains, ouvre très grands les yeux... Superbe !

Il n'arrêtait pas, un cliché après l'autre.

— Tu es magnifique. Tourne-moi le dos et fait pirouetter rapidement ta tête vers l'arrière, laisse tes cheveux tomber... Parfait ! Écoute, j'ai une idée si t'as pas d'objection à être trempée. Remets ton chemisier et je vais t'arroser avec le boyau ; ça va être splendide !

Il prit le boyau servant à arroser les plantes et le dirigea vers elle.

Elle cria et se mit à rire.

— C'est froid !

Il laissa tomber le boyau et prit son appareil photo.

Il avait raison, le résultat était époustouflant. Les vêtements moulaient les courbes de Claudia et ses mamelons pointaient, fermes et fiers, à travers son chemisier.

Après avoir passé une heure sur la terrasse, Gilles eut une autre idée.

— Allons à l'intérieur, ma chérie. J'ai pris des clichés magnifiques de toi ici.

Elle grelotait.

— Passons maintenant à la douche, dit-il. Je ne veux pas que tu attrapes froid. Déshabille-toi lentement. Je veux capter chacun de tes mouvements.

Il la suivit jusque dans la salle de bain avec ses appareils photo, photographiant chaque moment pendant qu'elle se dépouillait de ses vêtements en se tortillant et fixait ses cheveux en place à l'aide de quelques épingles. Elle entra dans la douche et laissa l'eau ruisseler sur son corps luisant.

— Incline-toi vers l'arrière, ferme les yeux ; laisse l'eau couler sur toi, lui dit-il. Parfait ! Mets tes bras derrière ta tête ; de toute beauté, ma chérie, de toute beauté !

Ils avaient fini dans la salle de bain.

— Allons maintenant dans la chambre ; je devrais avoir tout ce dont j'ai besoin après ça, dit-il.

Elle enfila un vaporeux peignoir noir en mousseline garni de plumes, et elle détacha ses cheveux. Le peignoir était transparent, enveloppant son corps d'une ombre noire.

— Allonge-toi au centre du lit, soulève ta tête, fléchis un tout petit peu ton genou, non, ton genou gauche, ma chérie. Ça y est. Mouille tes lèvres et donne-moi le regard qu'il faut. Non, trop dur. Plutôt un regard doux, comme si tu venais de baiser.

Il prit quelques clichés et déposa son appareil.

— Écoute, tu veux que ces photos soient vraiment belles ?

— Bien sûr que je le veux. Qu'est-ce qui ne va pas ?

Elle se redressa, ses seins parfaits dénudés.

— Tu n'as pas le bon look ; tu fais trop d'effort. Il faut que tu te détendes, ma belle.

Elle s'étira.

— Je suis détendue.

— Ouais. Je sais bien, mais tu sais ce que je veux dire, je veux le regard d'une fille assouvie.

— Alors, donne-moi une raison de l'être…

Elle tendit les mains vers lui.

— C'est justement ce que j'avais en tête.

Ils firent l'amour facilement, lentement, presque nonchalamment. Tout de suite après, il se leva rapidement et s'empara de son appareil photo.

— Reste comme ça. C'est parfait. C'est l'air authentique qu'il me fallait !

* * *

David téléphona à Claudia à dix-sept heures. Il n'arrivait pas à décider si elle devait ou non l'accompagner pour sa soirée avec monsieur Taylor de Fulla Beans. Il décida finalement qu'il serait préférable qu'elle ne vienne pas, car il porterait davantage attention à elle qu'à monsieur Taylor, ce qui annulerait la raison de la sortie.

— Que fais-tu ? lui demanda-t-il.

Elle gloussa.

— Je suis allongée.

Il lui raconta ses plans pour la soirée.

— D'accord, je vais trouver quelque chose à faire, dit-elle.

— Pourquoi n'irais-tu pas te coucher tôt ? Je te réveillerai à mon retour.

Elle s'esclaffa.

— Hé, David, je me sens comme une épouse. Es-tu sûr que tu n'as pas une jolie petite créature à tes côtés en ce moment ?

— Franchement, Claudia, ne sois pas ridicule.

Elle rit.

— Ne t'en fais pas ; ça ne me dérangerait pas, car ce qui vaut pour l'un vaut aussi pour l'autre.

— C'est un souper d'affaires. Qu'est-ce que tu vas faire maintenant ?

Elle fit une pause.

— Je vais m'offrir le président des États-Unis, dit-elle.

— Quoi ?

Elle rit à nouveau.

— Je blague, dit-elle. Je te crois. Bon souper. Je vais probablement inviter quelques personnes à passer la soirée avec moi en attendant impatiemment ton retour.

— D'accord, dit-il avec réticence. Te coucher tôt t'aurait été beaucoup plus bénéfique.

Le son de sa voix était de plus en plus crispé.

— Te coucher tôt t'aurait été beaucoup plus bénéfique ! dit-elle en imitant sa voix.

Il ignora son commentaire.

— Je t'appellerai plus tard. Sois sage.

— Oui, monsieur. Y a-t-il autre chose que je peux faire pour vous, monsieur ?

— Au revoir.

Il raccrocha le téléphone, agacé par la façon dont elle lui avait parlé. Agacé par le fait qu'il était encore si jaloux. Agacé par le fait qu'elle allait inviter des gens à l'appartement. Il devait essayer de trouver une hôtesse libidineuse pour monsieur Taylor et se débarrasser de lui le plus tôt possible. Il entra dans sa salle de bain privée pour changer de chemise et se raser.

Mademoiselle Field frappa nerveusement à la porte pour lui dire au revoir, et il la récompensa en lui donnant un aperçu de son torse nu. Elle devint écarlate. Il se demanda si elle avait déjà baisé. Il ne pouvait réellement pas se l'imaginer. Elle portait des jupons roses jusqu'aux genoux qu'il avait remarqués lorsqu'elle s'asseyait face à lui pour prendre la dictée. Aussi, elle était plate comme une planche, et qui peut bien avoir envie de baiser une fille laide sans poitrine ? Il avait déjà baisé la fille la plus horriblement laide – elle louchait, avait les dents croches, souffrait d'acné –, mais elle avait les plus beaux et les plus gros nichons qu'il avait jamais vus, et des jambes exceptionnelles. Elle avait été fameuse au lit, aussi. Mais il ne s'était pas donné la peine de la revoir, son visage rendant la chose impossible.

David avait déjà rencontré monsieur Taylor, brièvement. Il était gros et d'âge moyen. Il avait des cheveux bruns fins bien collés à son crâne pour donner l'impression qu'ils n'étaient pas clairsemés, mais qu'ils poussaient comme cela. Il avait un fort accent, une femme tout aussi lourde et deux fils pareils. Il était ennuyeux comme la pluie.

David le rencontra au bar de son hôtel. Il avait bu de la bière blonde, mais remplaça la bière par un scotch aussitôt que David arriva. David s'efforça d'être charmant, mais la définition de «charmant» de Burt Taylor était quelqu'un qui buvait rapidement et racontait des blagues grivoises. David s'efforça de lui faire plaisir, et Burt le récompensa par de gros éclats de rire et des clins d'œil complices. Lorsqu'ils arrivèrent au restaurant, David était dans un état avancé d'ivresse, alors que Burt, lui, était complètement saoul.

David tenta de parler d'affaires un peu, mais Burt ramena le sujet au sexe en disant qu'il pariait que de nombreux beaux petits numéros devaient lui passer entre les mains grâce à ses fonctions.

— Tous ces petits mannequins, dit Burt, c'est comme ça qu'ils obtiennent l'emploi, n'est-ce pas, en couchant avec toi?

David n'osa pas nier.

Ils quittèrent finalement le restaurant avec Burt qui chantait des bouts de chansons de rugby. David lui donna une tape dans le dos.

— Allons nous amuser un peu.

Ils allèrent dans une boîte de nuit à l'ambiance feutrée remplie d'hôtesses vannées au visage peinturluré et d'hommes d'affaires joviaux et lascifs de l'extérieur de la ville disposant d'une allocation de dépenses. Le maître d'hôtel, un Chypriote doux et suave, demanda si l'idée de rencontrer deux gentilles filles leur plaisait.

— Oui, tonitrua Burt. Assurez-vous seulement qu'elles ne soient pas trop, trop gentilles.

Il se tordit de rire.

Quelques minutes plus tard, deux filles se présentèrent à leur table. L'une d'elles, grande et plantureuse, avait les cheveux roux et portait une robe de velours vert sans bretelles ; elle avait environ trente ans. L'autre était plus petite et d'allure un peu timide en dépit d'une robe suffisamment décolletée pour révéler sa poitrine maigre. Elle était très jeune.

Elles tentèrent toutes deux de s'accrocher à David, mais celui-ci se leva de table et s'excusa, réalisant qu'il n'avait pas téléphoné à Claudia.

Un homme répondit au téléphone et lui dit d'attendre une seconde, qu'il allait tenter de trouver Claudia.

— Merde ! marmonna David.

Le bruit et la musique qu'il entendait étaient incroyablement forts. Mais qu'est-ce qui se passait ? Il attendit, mécontent, sentant l'alcool s'évaporer à cause d'une rage soudaine. Lorsqu'il entendit la voix de Claudia au téléphone, il se sentait presque sobre.

— Allo, chéri, roucoula-t-elle. Où es-tu ? Je m'amuse follement. Notre soirée est devenue une fête.

— Qui a répondu au téléphone ? Qui est là ?

— Je ne sais pas, il y a un tas de gens. Dépêche-toi de revenir à la maison, mon chéri.

Et elle raccrocha.

Il resta dans la cabine téléphonique pendant quelques minutes avant de retourner rapidement à la table avec l'intention ferme de se débarrasser de Burt Taylor.

Burt avait commandé du champagne, bien sûr, étant donné que David allait payer l'addition. Les deux hôtesses se tenaient de chaque côté de lui et il avait l'air béatement heureux.

David se dit que la meilleure chose à faire était de demander à la fille aux cheveux roux cuivré d'emmener monsieur Burt Taylor quelque part. De toute évidence, il préférait celle-ci à la plus jeune.

Un groupe ringard de musique latino-américaine jouait.

— Si on dansait? dit-il à la rouquine.

Elle portait beaucoup trop de parfum de mauvaise qualité et appuyait son bassin contre le sien.

— Je t'aime bien, zézaya-t-elle.

Il réussit à l'éloigner de lui un peu.

— Dis donc, as-tu envie de faire un peu d'argent?

Elle semblait intéressée par ce que David lui proposait. Ils négocièrent, en vinrent à une entente et s'assirent. David lui glissa immédiatement la somme d'argent convenue.

Burt Taylor avait l'air déçu. Il prit David à part.

— Je l'ai vue en premier, l'ami. Je ne veux rien savoir de la maigrichonne.

David sourit; sa tâche venait d'être simplifiée.

— Ça va, elle n'arrête pas de parler de toi; le tour est joué.

— Dans ce cas, ne perdons pas plus de temps ici, dit Burt d'un air vicieux.

David estimait que dans une demi-heure il allait pouvoir rentrer chez lui. Il donna à Burt une tape dans le dos.

— Je m'occupe de l'addition, dit-il.

* * *

Des photographes attendaient que Linda sorte à l'extérieur du palais de justice. Claudia Parker ayant été identifiée comme la maîtresse, le cas méritait donc une couverture médiatique.

— Ici ! s'écria l'un d'eux.

Linda avança d'un pas rapide, son avocat lui tenant le bras. Les flashs des appareils photo n'arrêtaient pas.

— Que veulent-ils au juste ? questionna-t-elle. Ne peuvent-ils pas laisser les gens tranquilles ? Je suis une inconnue.

Son avocat héla un taxi et la poussa à l'intérieur.

— Il vaut mieux que vous partiez d'ici. Encore une fois, félicitations. Nous communiquerons avec vous.

— Vous voulez que je vous dépose ? dit-elle, tentant de retarder le moment où elle se retrouverait seule.

— Non. Mon bureau est tout près d'ici. Merci tout de même. Au revoir, madame Cooper.

Il était parti, et le taxi avançait dans la rue.

— Où voulez-vous aller, madame ? demanda le chauffeur de taxi à Linda.

Elle avait la tête ailleurs. Tout s'était déroulé tellement rapidement, comme un rêve.

— Où voulez-vous aller, madame ? répéta le chauffeur, impatient.

Elle n'avait pas envie de se rendre directement à la gare. Elle avait envie d'un verre, d'une cigarette et d'une demi-heure de détente tranquille.

— Le Dorchester, dit-elle.

C'était le premier endroit qui lui vint à l'esprit.

Le bar était passablement bondé, surtout d'hommes d'affaires, mais elle réussit à trouver une table à l'écart, commanda un xérès et s'installa confortablement pour le savourer. Elle décida qu'elle dînerait là. C'était bien de se retrouver seule. Elle commanderait du saumon fumé, des fraises fraîches et de la crème, et même du champagne.

— Linda Cooper, c'est bien toi ?

Elle leva les yeux, hésitante.

— Jay, Jay Grossman, dit-elle. Ma foi, je te reconnais à peine. Quel beau bronzage.

Il s'assit, souriant.

— J'arrive tout juste d'Israël. Comment vas-tu ? Ça fait des mois et des mois.

— Je vais bien.

Elle lui sourit à son tour.

— Et David ?

— David ? Je ne sais pas. J'ai obtenu le divorce il y a environ une heure.

Jay la regarda d'un air surpris.

— Tu l'as fait, finalement. À cause de ce qui s'est passé ce soir-là ?

Elle hocha la tête.

— Oui, à cause de ce soir-là. Il habite avec elle, d'ailleurs.

— Wow, tu joins vraiment le geste à la parole.

— Comment se porte Lori ?

— Lori est très heureuse. Lori a épousé un magnat du pétrole texan qui lui achète deux manteaux de vison par semaine ; elle est donc aux anges.

— Tu es divorcé, toi aussi ?

— Oui, je suis encore divorcé. On fait les choses rapidement aux États. Elle est allée au Nevada et, en six semaines, s'était débarrassée de moi. « Cruauté mentale extrême », si je me souviens bien. Elle a épousé le Texan dès le lendemain. La bonne chose de tout ça, c'est qu'elle n'a pas demandé de pension alimentaire, j'ai donc été chanceux. Les frais d'entretien de mes deux autres ex-conjointes sont assez élevés, merci.

Il ricana.

— As-tu rendez-vous avec quelqu'un ?

Elle secoua la tête.

— Pourquoi ne dînerais-tu pas avec moi ?

Elle sourit. Elle aimait bien Jay.

— J'aimerais beaucoup dîner avec toi.

— Tant mieux.

Il se leva.

— Je dois juste réorganiser certaines choses, dit-il. Je reviens tout de suite.

Après son départ, Linda sortit aussitôt son boîtier de maquillage. Elle étudia son visage et ajouta du rouge à lèvres. Elle aurait aimé avoir l'air un peu plus sensuel, mais elle s'était habillée modestement pour se présenter à la cour. Jay était un homme très séduisant. Depuis sa séparation de David, Linda n'était sortie qu'une seule fois avec un homme, en partie parce que son avocat l'avait prévenue de ne pas le faire, et aussi parce qu'elle n'en avait pas envie. L'épisode regrettable avec Paul avait laissé une marque, et elle préférait rester à la maison ou rendre visite à des amis mariés. Le seul rendez-vous galant qu'elle avait eu avait été ennuyeux. Le comble avait été que le type avec qui elle était sortie s'attendait à ce qu'elle couche avec lui. Les divorcées, selon lui, devaient inclure le sexe aux activités de la soirée.

Jay revint à la table.

— Tout est réglé. Où aimerais-tu aller manger ?

Ils décidèrent de rester où ils étaient. Ils se déplacèrent jusque dans le restaurant. Jay la divertit avec des anecdotes amusantes à propos de l'endroit et des potins sur les gens impliqués. Il lui prit la main pendant qu'ils prenaient leur café.

— Ma foi que c'est rafraîchissant d'être avec quelqu'un qui a une cervelle en plus d'un corps. Je t'aime bien, tu sais. Tu es gentille, Linda.

Elle lui sourit un peu timidement. Elle ne voulait pas que Jay la voie comme étant à ce point gentille. « Gentille » était un mot tellement terne, qui faisait penser à des tricots assortis et à des chaussures confortables.

Il vérifia l'heure à sa montre.

— Oh, le temps file, il est presque quinze heures ; je dois partir.

Il demanda l'addition.

— Laisse-moi te déposer à la gare, ajouta-t-il. J'ai une voiture de service.

— Non, ça te ferait faire un détour. Je peux facilement prendre un taxi.

— Si tu insistes. Je vais cependant te trouver un taxi.

Ils quittèrent le restaurant et traversèrent le hall d'entrée où Jay se fit saluer par un couple qui se tenait là. La femme était grande, blonde et jolie. L'homme était petit, trapu et rougeaud.

— Oh, monsieur Grossman, je suis désolé que vous n'ayez pu dîner avec nous. Je vous présente ma cliente, mademoiselle Susan Standish.

Mademoiselle Susan Standish sourit directement à Jay. Elle avait de très petites dents blanches et était encore plus jolie lorsqu'elle souriait.

Jay lui sourit à son tour. Linda vit ses yeux scintiller avec intérêt à la vue de mademoiselle Susan Standish. Il avait de toute évidence un faible pour les jolies grandes blondes.

— Je reviens tout de suite, dit-il, et il emmena Linda dans l'entrée.

Il ne dit rien à propos du couple à qui il avait de toute évidence posé un lapin. Il l'embrassa sur la joue.

— Il faut remettre ça, Linda. Quand seras-tu de retour?

— Merci pour un charmant dîner, Jay. Je serai de retour chez moi lundi.

Il l'aida à entrer dans le taxi.

— Je te rappellerai à ton retour, lui dit-il.

* * *

Le téléphone sonna et Claudia s'étira langoureusement à travers le lit avant de prendre le combiné. La conversation fut brève, et elle raccrocha avec le sourire.

— Mon chou, dit-elle à Gilles, ce soir on peut s'amuser. David va rentrer tard!

— Qu'est-ce qu'on attend? dit Gilles. On organise une fête. Fais des appels, au magasin d'alcool d'abord.

Ils choisirent des invités au hasard. Gilles leur disait: « Tu te souviens de la fille excentrique qui portait toujours ces affreuses cuissardes noires... » Ils réussirent à la trouver et à inviter une demi-douzaine de personnes. Claudia enfila une combinaison de type Catwoman en broderie d'argent saisissant. Gilles fit une petite sieste, étalé de tout son long en travers du lit; à un moment donné, des gens commencèrent à arriver.

Lorsque David rappela, la fête battait son plein. Claudia était complètement droguée. Elle ne connaissait même pas la moitié des invités. Le volume de la musique était si fort que les locataires de l'appartement d'en dessous s'étaient plaints trois fois. Ils avaient arrêté de téléphoner, car lors de leur dernier appel, une invitée à la langue bien pendue leur avait dit exactement quoi faire avec leur plainte, de façon très explicite. Elle était en train de satisfaire les besoins d'un laveur de vitres en chômage sur le canapé, à la vue de tous.

— Une fête géniale ! dit Gilles. Qu'est-ce qui va se passer lorsque le bonhomme va rentrer ?

— Le bonhomme va devoir se joindre à la fête, ou le bonhomme va devoir s'en retourner d'où il est venu.

— Ma chérie, ma puce, quelle idée divine de m'inviter.

Claudia cligna des yeux, focalisant lentement.

— Shirley, mon chou, comment vas-tu ?

— Je vais bien, même très bien. J'arrive tout juste de vacances ; c'était sublime.

— Tu es magnifique, ce bronzage… Où est passé l'honorable maigrelet ?

— Largué, ma chère. J'ai maintenant l'homme le plus exceptionnel ; il est adorable. Tu n'en reviendras pas.

— Verse-toi un verre et amuse-toi. C'est ici que tout se passe.

Elle s'éloigna pendant qu'un type du genre serveur italien l'attrapait par-derrière.

— Toi belle, dit-il, je te mangerais bien.

— Bon, dit Shirley, tu sembles être entre bonnes mains. À plus tard, ma cocotte.

Elle laissa Claudia aux prises avec l'Italien.

Claudia ne l'avait jamais vu.

— Laisse-moi tranquille, grosse brute, dit-elle.

Il était très fort.

— Toi belle, dit-il.

De toute évidence, sa maîtrise de la langue anglaise laissait à désirer. Il l'enveloppa de ses bras et l'embrassa.

— Ton haleine empeste ! cria-t-elle, se débattant toujours.

Il la serra davantage et l'embrassa à nouveau.

David fit son entrée à ce moment précis. Du seuil de la porte, furieux, il repéra aussitôt Claudia et, traversant la pièce à grands pas, il s'empara de l'Italien et lui asséna un solide coup de poing en plein visage.

L'homme s'effondra par terre, le nez en sang.

David se tourna vers Claudia.

— Sale pute, dit-il, et, du revers de la main, lui flanqua une claque au visage.

Personne n'avait remarqué ce qui se passait. Le volume de la musique était trop fort et tout le monde était dopé.

— Sors-moi cette racaille d'ici, grogna David.

Elle se frotta la joue, ses immenses yeux remplis de larmes, davantage à cause de la douleur que toute autre chose.

— Fils de pute ! cria-t-elle. Comment oses-tu me frapper ?

— Je te ferai ce que je veux. Je t'ai achetée, non ? Maintenant, fais sortir tout le monde.

— Va te faire foutre, salaud !

Elle se pencha sur l'Italien et prit sa tête dans ses mains.

— Je te préviens, Claudia, tu me pousses à bout.

Elle ne l'écoutait pas.

Il resta debout pendant un moment.

— Bon.

Il se dirigea vers la chambre et y entra.

À ce moment précis, Gilles s'apprêtait à atteindre le point culminant avec une rouquine maigrichonne. Il était regrettable que cela se produisît en plein centre du lit conjugal.

David hurla un juron, mais rien ne dérangeait Gilles. Il continua malgré le couinement de la fille et ses tentatives de protester.

D'un air lugubre, David prit une valise du haut d'un placard. Il tria méthodiquement ses vêtements parmi ceux de Claudia, entassant tout ce qu'il pouvait dans la valise.

Gilles et la fille se levèrent. Elle foudroya David du regard en ajustant ses vêtements.

— Certaines personnes n'ont aucune manière, marmonna-t-elle. Elles font irruption n'importe où.

Gilles fit une pseudo-révérence.

— Le spectacle est terminé ; prochaine représentation à seize heures.

Ils quittèrent la chambre.

David verrouilla la porte derrière eux et continua de faire ses bagages. Il réussit à remplir trois valises. Son esprit bouillait de colère.

Il déverrouilla la porte de la chambre et d'un pas décisif se rendit jusqu'à la porte d'entrée avec deux valises. La fête était à son comble. Il retourna à la chambre pour cueillir la troisième valise.

— Au revoir, chéri, hurla Claudia pour couvrir le bruit.

Elle s'élança vers lui en traversant la pièce. La fermeture éclair de sa combinaison était baissée jusqu'à la taille et ses seins tentaient de se libérer. Ses cheveux étaient en bataille et son visage était taché de sang.

— Tu es resplendissante, dit-il. Tout à fait à l'image de la débauchée ivre que tu es.

Elle rit.

— Va te faire foutre ! cria-t-elle. Tire-toi, connard, et ne reviens pas ! T'es un emmerdeur de la pire espèce !

Gilles se joignit à elle.

— Allez, dis-lui, ma chouette, l'encouragea-t-il, en glissant sa main sous sa combinaison.

Elle fit un geste obscène et lui tourna le dos.

David s'en alla.

Chapitre 14

— Dis-moi, alors, mon chou, que se passe-t-il au juste ?

Claudia était au téléphone. Elle parlait d'une voix aiguë et froide.

— Ils sont de retour depuis dix jours tout de même, ajouta-t-elle ; ils devraient pouvoir nous dire quelque chose.

Son agent était vague.

— Je n'arrive pas à obtenir d'eux une date précise.

— Mais j'ai signé un contrat pour deux jours de travail, un vrai contrat, tu te souviens ?

— Je le sais. Mais ils t'ont payée pour le travail que tu devais faire ; ils ne sont pas obligés d'utiliser tes services.

Elle eut un accès de colère.

— Mais quelle sorte d'agent es-tu ? Je suis censée être dans ce film. C'est une superproduction qui fera un grand bien à ma carrière, beaucoup plus que ces rôles de figurantes que tu m'offres continuellement. Si tu ne peux pas t'en occuper, dis-le-moi, et je vais trouver quelqu'un qui le peut !

La voix de son agent était résignée.

— Je fais de mon mieux.

— Ton mieux ne suffit pas. Oublie ça, je vais le faire moi-même. Je vais appeler Conrad Lee.

Elle raccrocha violemment.

L'appartement était dans un état déplorable. La nouvelle femme de ménage avait démissionné le lendemain de la grosse soirée. En fait, la fête n'était toujours pas terminée lorsqu'elle était arrivée le lendemain matin. Elle avait jeté un regard horrifié au jeune rouquin portant la combinaison de Catwoman de Claudia qui lui avait ouvert la porte, et elle était partie.

En fait de fête, cela avait été une réussite ; elle avait duré trois jours. Claudia n'avait presque aucun souvenir de ces trois jours, mais Gilles l'assura qu'ils avaient été époustouflants.

David n'était pas revenu. Il n'avait ni téléphoné ni communiqué avec elle d'aucune façon. Une timide secrétaire était passée environ une semaine plus tard pour recueillir son courrier et demander qu'à l'avenir celui-ci soit acheminé à son bureau.

Claudia ne souffrait pas de son absence. Elle était plutôt contente qu'il soit parti. La vie avec quelqu'un qui surveille chacun de ses faits et gestes est trop contraignante. Elle était tombée dans les bras de David par facilité. Il avait ensuite quitté sa femme, et les choses étaient arrivées juste comme cela. Elle devait avouer qu'elle aimait déléguer le paiement des factures de même qu'avoir beaucoup de vêtements neufs et ne s'embarrasser d'aucun problème.

Elle devrait désormais penser à retourner au travail, à un emploi secret qui lui rapportait toujours beaucoup d'argent et qui lui permettait de vivre à l'aise et de façon indépendante. Il serait préférable qu'elle joue un rôle dans le film de Conrad, devienne une vedette et fasse beaucoup d'argent ainsi.

L'autre façon lui donnait cependant des frissons par procuration. Aucune de ses connaissances – absolument personne – n'était au courant. C'était un secret bien gardé. Avant d'emménager avec David, tous ses amis s'étaient posé des questions, mais n'avaient jamais découvert comment elle réussissait à être aussi à l'aise et indépendante sur le plan financier. L'emploi l'excitait. Elle portait des perruques et se maquillait de façon créative, cachant ainsi ses propres traits. Elle jouait dans de glorieux films pornos en Technicolor ! En quatre ans, elle avait joué dans trente de ces films et avait fait beaucoup d'argent. Elle était tellement douée pour se déguiser qu'elle était connue sous le nom de trois filles, et les trois étaient très populaires auprès des voyeurs qui visionnaient ces films. Il suffirait qu'elle fasse un seul appel pour travailler à nouveau. Qu'elle dise qu'elle était Evette – ou Carmen ou Maria –, et les dispositions nécessaires seraient prises. Elle était payée en argent comptant et c'est elle qui communiquait avec eux ; ils ne disposaient d'aucune façon de la joindre. C'était une entente satisfaisante.

Elle n'était pas convaincue, cependant, de vouloir reprendre ce travail. Parfois, ses partenaires laissaient beaucoup à désirer et, bien sûr, il fallait être dans le bon état d'esprit, sinon les choses pouvaient être plutôt moches.

Faire une apparition dans le film de Conrad était sans contredit la meilleure solution, et si son agent ne réussissait pas à faire en sorte que cela se produise, elle, en revanche, le pouvait. Conrad serait sans doute ravi d'avoir à nouveau de ses nouvelles.

Elle téléphona à l'hôtel où il avait séjourné lors de sa dernière visite, mais il n'y était pas inscrit. Elle téléphona au studio et parla à la secrétaire, qui prit en note son nom et lui dit qu'elle transmettrait le message à monsieur Lee. Elle tenta de savoir où il habitait, mais la fille resta polie, mais ferme.

— Nous n'avons pas le droit de divulguer l'adresse de monsieur Lee, lui dit-elle. Je vais m'assurer que votre message lui parvienne.

Ce n'était pas une réponse satisfaisante. Claudia voulait le joindre directement.

Gilles serait en mesure de savoir où il habitait. Gilles réussissait toujours à joindre tout le monde. Elle l'appela à son studio, mais il n'y avait pas de réponse.

— Bon sang ! marmonna-t-elle, et elle se leva.

Il y avait une pile de comptes à la porte d'entrée. Depuis son départ, David avait cessé de régler toute facture et celles-ci ne cessaient de se multiplier. Claudia ne pouvait lui en refiler aucune étant donné que l'appartement et tout le reste étaient à son nom. Il fallait absolument qu'elle rejoigne Conrad et qu'elle devienne une vedette.

* * *

Linda resta à la campagne avec ses parents et les enfants beaucoup plus longtemps que prévu. Tout y était si paisible. Les enfants jouaient dehors toute la journée pendant qu'elle était dans la maison profitant des petites attentions de sa mère. C'était très relaxant, et sachant que le retour à Londres signalait le début d'une nouvelle vie, elle s'accrocha à la période d'incertitude avec ses parents.

Sa mère souhaitait qu'elle reste là en permanence.

— Vends ta maison, l'incitait-elle. Il y a amplement d'espace ici pour toi et tes enfants.

Linda déclina l'offre. La maison de ses parents n'était qu'une retraite temporaire et, même si l'offre était très tentante, elle ferait une erreur en restant. Elle s'y enliserait, étoufferait. Sa mère prendrait le contrôle de tout, même la façon d'élever les enfants. Linda deviendrait la fille aînée de la famille.

Un samedi après-midi, David se présenta à la porte. Linda le voyait pour la première fois depuis le divorce.

— J'ai téléphoné à la maison ; j'étais inquiet, dit-il. J'ai pensé que tu serais ici.

Sa voix était guindée et froide.

— Pourquoi n'as-tu pas appelé avant ? Pourquoi es-tu juste venu ?

Il était mal à l'aise, ce qui n'était pas dans ses habitudes, lui qui était toujours sûr de lui.

— Je voulais voir les enfants.

Un soupçon d'indignation se fit entendre dans sa voix.

— Je suis censé voir les enfants, tu sais.

Il était amaigri et fatigué.

— J'ai quitté Claudia, laissa-t-il échapper.

Elle lui jeta un regard dépourvu d'empathie.

— Vraiment.

— Tu es resplendissante, dit-il.

Elle avait en effet très bonne mine. Sa peau était éclatante de ses longues promenades à la campagne, et ses cheveux sans mise en plis brillaient, retenus négligemment par un ruban. Elle avait l'air svelte dans un pantalon noir et une chemise ample.

Elle fit un geste vers l'extérieur.

— Les enfants sont dans le jardin. Je vais leur demander d'entrer.

Il posa sa main sur son bras.

— J'ai dit que j'avais laissé Claudia.

Elle enleva impatiemment la main de David de son bras.

— Je t'ai entendu la première fois, David. Je vais aller chercher les enfants.

Elle quitta rapidement la pièce.

Il resta tout l'après-midi, bavardant de façon amicale avec les parents de Linda et divertissant Jane et Stephen avec toutes sortes de jeux.

Le charme de David opère toujours, se dit Linda, se sentant misérable. J'aimerais qu'il s'en aille.

Il partit enfin à dix-huit heures. Sa mère voulait lui demander de rester à souper, mais Linda lui siffla : « N'ose surtout pas. » L'opération charme avait porté ses fruits.

— Il veut vraiment te reconquérir, lui dit sa mère après qu'il fut parti.

En d'autres mots, elle lui disait qu'elle devrait retourner avec lui. Linda connaissait les signes.

Son père utilisa une approche moins directe.

— Ce garçon a besoin d'un père, dit-il, lorsque Stephen se mit à faire des siennes avant de monter se coucher.

— Pauvre David, il a l'air si malheureux, dit sa mère plus tard en soirée.

C'était la cerise sur le gâteau. Ils ne comprenaient tout simplement pas. Ils avaient de bonnes intentions, mais elle en avait assez.

Le lendemain matin, elle leur dit qu'elle retournait à Londres. Le lundi matin, elle fit ses bagages et, entre les larmes de sa mère et quelques paroles de sagesse bourrues de son père, elle monta à bord du train avec les enfants.

Elle était contente d'être de retour chez elle. Les enfants étaient heureux et excités de retrouver tous leurs livres et leurs jouets, et des cris de « super » et « c'est à moi » retentirent dans la maison.

Ana lui remit une liste de messages téléphoniques, dont deux de la part de Jay Grossman. Il avait laissé son numéro. Elle ne le rappela pas. Après y avoir pensé, elle se dit que s'il voulait vraiment la revoir, il la rappellerait de nouveau.

Monica avait téléphoné. Elles ne s'étaient pas parlé depuis la séparation ; c'était une amie de David. Elle l'appela.

Monica était enchantée.

— Ma chère, s'exclama-t-elle, j'organise un petit souper ; j'aimerais beaucoup que tu viennes.

Linda était hésitante :

— Quand ?

— Demain soir. Je dois te voir ; ça fait des lunes. Viendras-tu ?

Elle hésitait.

— Je ne sais pas. As-tu invité David ?

— Mais tu me prends pour qui ? Bien sûr que non. Je n'accepterai aucune autre excuse de toi. Je t'attends demain soir à vingt heures. Arrive à l'heure.

C'était réglé. Peut-être qu'elle aurait du plaisir. Monica invitait toujours des gens intéressants. Elle irait chez le coiffeur et magasiner pour une nouvelle robe ensuite. Il était grand temps qu'elle recommence à sortir.

* * *

Claudia était affalée négligemment sur un canapé à l'arrière du studio de Gilles. Il travaillait sans relâche à photographier une brunette indolente portant uniquement une combinaison de danse argent.

Claudia bâilla.

— Pourquoi diable ne réponds-tu jamais à ton satané téléphone ? Tu aurais pu m'épargner un déplacement.

Gilles ne se retourna pas : il était entièrement concentré sur le mannequin. Il arrêta après quelques minutes, dit à la fille de faire une pause et se dirigea vers Claudia. Il alluma une cigarette et la lui mit dans la bouche.

Elle prit une longue bouffée, crachota et s'étouffa.

— Bordel ! Tu fumes de la mari à cette heure-ci du jour ! Tu dépasses les bornes !

Il rit et reprit le joint.

— Que me veux-tu ? lui dit-il.

— Je suis juste venue te voir, répliqua-t-elle pudiquement. Parce que je t'aime.

— Arrête tes conneries ; je suis occupé. Que veux-tu ?

— En fait, dit-elle en s'étirant, j'ai besoin du numéro de Conrad Lee, et j'ai pensé que tu pouvais me l'obtenir.

— La situation doit être difficile si tu cours encore après lui.

Elle était irritée et cela s'entendait dans sa voix. Parfois, elle le trouvait insupportable.

— La situation n'est pas difficile, et je ne cours pas après qui que ce soit.

Il rit.

— N'oublie pas que c'est à moi que tu parles, ma chérie.

— Comment pourrais-je l'oublier ?

Ils se fixèrent des yeux pendant un moment.

— D'accord, dit-il, ne t'énerve pas ; je vais te le trouver.

Il fit quelques appels et lui dénicha le numéro convoité.

Elle le prit en note et sourit.

— Merci, mon trésor, ronronna-t-elle.

— Ça va, ma chérie. Maintenant, sors d'ici au plus vite. J'ai du travail.

Claudia alla courir les magasins. Elle acheta une robe en jersey de soie blanc et or, et des talons aiguilles, démodés, mais sexy. Elle alla chez le coiffeur et demanda un haut chignon élaboré. De retour chez elle, elle prit un bain, ajoutant à l'eau une demi-bouteille d'huile de musc. Elle consacra deux heures à l'application de son maquillage, jusqu'à ce qu'il soit parfait.

Il était dix-neuf heures lorsqu'elle eut fini. Elle composa le numéro que Gilles lui avait donné. À entendre l'accent, il n'y avait aucun doute que Conrad était à l'autre bout du fil.

Elle sourit. Tout allait très bien se passer. Sa voix était contrôlée et le ton était efficace.

— Monsieur Lee ?

— Oui, répondit-il de sa voix bourrue.

— Je vous appelle de la revue *Star.* Vous savez peut-être que nous aurons une photo de vous sur notre page couverture cette semaine, et je me demandais si vous accepteriez de répondre à quelques courtes questions à propos de vous ?

Son ton devint amical.

— Ma photo, hein ? Bien sûr que je vais répondre à quelques questions.

Quel porc vaniteux !

— Merci beaucoup. Monsieur Lee, si vous me donnez votre adresse, je vais passer immédiatement vous voir. Nous n'en aurons pas pour bien longtemps.

Il était surpris.

— Je ne pourrais pas y répondre tout de suite ?

— Non, monsieur Lee, il est important que j'obtienne vos réponses de vive voix. Je suis une très grande admiratrice !

— D'accord, d'accord.

Il lui donna son adresse. Faisant des efforts pour ne pas rire, elle raccrocha, s'admira dans la glace et demanda au portier d'appeler un taxi.

Conrad habitait dans une maison cossue de Belgravia. Un valet en livrée blanche ouvrit la porte et conduisit Claudia dans la bibliothèque. Elle attendit patiemment pendant quinze minutes, jusqu'à ce que Conrad arrive indolemment. Il n'avait pas changé. Un gros cigare était coincé entre ses lèvres charnues, et il portait le même smoking en soie vert.

Elle se leva, positionnant son corps de manière à ce que la fine robe en soie moule davantage ses courbes. Elle savait qu'elle n'avait jamais été aussi belle.

— Bonjour.

Elle lui sourit de manière provocante.

Il s'immobilisa brusquement. Elle vit qu'il ne la reconnaissait pas. Il retira le cigare de sa bouche.

— Êtes-vous la journaliste du *Star*?

— Est-ce que j'ai vraiment l'air d'une journaliste ?

Il zieuta son corps. Sa mémoire se raviva.

— Dis donc, t'es la fille de la fête que j'ai organisée.

Sa voix changea :

— Hé ! Mais qu'est-ce qui se passe ?

— Tu es un homme difficile à joindre. Je t'ai laissé de nombreux messages.

— Et puis ?

— Je me suis dit qu'il était grand temps qu'on se revoie. Ne me dis pas que tu as oublié tout le plaisir qu'on a eu la dernière fois.

Une lueur passagère brilla dans ses yeux.

— Écoute, j'ai des invités. Reste ici, et je vais voir ce que je peux faire.

Il quitta la pièce et elle esquissa un sourire triomphant. Étonnant ce qu'un corps de déesse peut aider à accomplir.

Il fut absent longtemps. Le valet entra avec un verre et lui laissa des magazines. Elle les feuilleta nonchalamment en attendant, parce qu'il reviendrait assurément et, demain matin, Claudia Star serait née !

Chapitre 15

Depuis le jour où il avait quitté Claudia, David se sentait déprimé. Il n'avait pas voulu rester ; la situation était devenue impossible.

Claudia, tout compte fait, était une traînée de la pire espèce. Elle flânait toute la journée à lire des magazines, ne faisant attention à son apparence que lorsqu'ils sortaient. Elle restait au lit jusqu'à midi et ne rangeait jamais l'appartement. La seule chose qu'elle semblait réussir à faire était baiser sans cesse. Alors qu'avant de vivre avec elle, il était toujours prêt, il n'en était plus capable à la fin. Elle était insatiable et exigeante, et en voulait toujours plus. David avait toujours été fier de sa libido, mais celle de Claudia dépassait l'entendement.

Il était content d'avoir trouvé une excuse pour se sortir de ce pétrin. Mais la dépression se manifesta, car au lieu d'envoyer cette affaire aux oubliettes et de retourner à la maison auprès de sa femme et de ses enfants, il était devenu un laissé-pour-compte et n'avait nulle part où aller sauf une chambre d'hôtel impersonnelle. Aucun confort domestique, juste quatre murs dénudés, un lit vide et une affiche « Ne pas déranger ».

Il reprit le travail comme un forcené et mijota la possibilité d'une réconciliation avec Linda. Selon son raisonnement, elle se devait de le reprendre. Après tout, il fallait tenir compte des enfants; eux voulaient qu'il revienne. Tout pourrait redevenir comme avant, sauf que cette fois-ci, il ne se laisserait pas berner par une garce comme Claudia. Non, il ferait plus attention, serait plus sélectif, aurait de brèves aventures que Linda ne pourrait découvrir.

Il téléphona à son ex-maison où la bonne l'informa que Linda et les enfants étaient à la campagne avec les grands-parents. Il s'en réjouit. Cela lui donnait plus de temps pour s'en remettre. Linda était une femme sensée. Elle saurait bien que la bonne chose à faire serait de se réconcilier.

Le premier samedi qu'il put se libérer, il sauta dans la voiture pour aller la voir.

Elle avait exceptionnellement bonne mine, bien que son attitude à son égard fût glaciale. Il fallait bien qu'il s'y attende.

Il l'informa de sa rupture avec Claudia. Sa réaction fut étrangement négative.

Donnons-lui du temps, se dit-il, elle changera d'avis.

Il avait été charmant avec ses parents. Il savait qu'il les avait mis de son côté.

Après sa visite, il était retourné à Londres et avait appelé une ancienne conquête. Elle gloussait constamment et était un peu stupide, mais avait un corps magnifique.

Ils allèrent au cinéma et retournèrent à son appartement. Elle était lamentable au lit. Elle n'avait pas une once de la frénésie de Claudia ou du calme de Linda. Il partit après une heure.

Le dimanche, il s'éveilla tôt et ne trouva rien à faire. Mû par une impulsion, il alla à son bureau. Il avait une pile de courrier en retard et d'autres tâches auxquelles il n'avait jamais le temps de se consacrer pendant la semaine.

Il avait vraiment besoin de la présence de sa secrétaire. Pauvre mademoiselle Field. Peut-être qu'elle n'était pas occupée. Elle semblait être le type de personne qui ne prévoyait jamais rien. Il lui téléphona.

Elle répondit timidement.

— Allo.

— Mademoiselle Field. Monsieur Cooper à l'appareil.

— Oh !

Elle se mit à couiner, comme si elle avait été prise à faire un mauvais coup.

— Mademoiselle Field, que diriez-vous de travailler aujourd'hui ?

— Oh, monsieur Cooper, vraiment ?

— Ça va si vous ne pouvez pas.

— Oh, non, oh, monsieur Cooper, bien sûr que je peux.

— Bien. Venez aussi rapidement que possible.

Elle arriva en moins d'une heure, pâle et nerveuse.

— Vous être très jolie aujourd'hui, mademoiselle Field, lui dit-il poliment.

Ses cheveux bruns très fins et raides n'étaient pas attachés comme à l'habitude, et elle avait mis un rouge à lèvres écarlate sur sa bouche habituellement incolore. Sa tenue du dimanche était composée d'une robe brune et d'un cardigan bleu en laine. Elle était l'incarnation même de l'austérité.

Ils travaillèrent efficacement et diligemment toute la journée jusqu'à ce que David constate que la nuit avait commencé à tomber et qu'il se faisait tard.

— Nous devrions peut-être arrêter, dit-il en bâillant. Vous devez avoir faim.

— Monsieur Cooper – sa voix était hésitante et nerveuse –, est-ce qu'il vous plairait de souper avec moi ?

Son visage s'empourpra jusqu'à la naissance des cheveux.

— Je me donne comme priorité de toujours préparer un repas cordon-bleu le dimanche – l'un de mes petits passe-temps – et je serais enchantée si vous acceptiez d'y goûter.

Elle ajouta rapidement :

— Bœuf Stroganoff accompagné d'une salade verte fraîche, suivi d'une tarte au citron à la meringue.

C'était appétissant. De toute façon, il n'avait rien d'autre à faire. Elle continuait de rougir, et il eut pitié d'elle.

— Quelle bonne idée, mademoiselle Field. Volontiers.

Elle vivait dans un minuscule appartement d'une seule pièce. Le canapé, soigneusement décoré de coussins crochetés, faisait également office de lit.

Elle sortit une demi-bouteille de xérès – trop sucré – et il s'assit pour regarder la télévision pendant qu'elle s'activait dans la cuisine.

Elle prépara un délicieux repas arrosé d'un vin espagnol bon marché.

— Je l'ai rapporté de vacances l'année dernière, dit-elle fièrement.

Après le souper, elle était de toute évidence un peu pompette.

— Je ne bois pas habituellement, dit-elle en gloussant.

Il était aussi un peu ivre, ayant bu la moitié de la bouteille de vin et presque toute celle de xérès avant le souper. L'écran de télévision retenait toute son attention. La publicité de Beauty Maid était diffusée, et Claudia était là dans son bain. Il ressentit une tension familière à l'entrejambe.

— Oh, monsieur Cooper, notre publicité !

Mademoiselle Field s'assit prestement à ses côtés sur le canapé.

Il sentit la proximité d'une jambe et posa sa main sur sa cuisse. Elle poussa un cri et avant même qu'il s'en rende compte, elle avait noué ses bras autour de son cou et attirait sa bouche vers la fine ligne rouge. Ils s'embrassèrent et, alors que Claudia disparaissait de l'écran, son désir disparut lui aussi. Mais il était trop tard. Mademoiselle Field avait déjà pris les choses en main. En quelques secondes, elle bondit du canapé, éteignit la lumière, se débarrassa de son cardigan et revint à ses côtés.

— Mon très cher, je suis à toi, dit-elle. J'attends ce moment depuis trop longtemps.

Il ne pouvait pas le croire. La situation était absurde.

Elle s'allongea, avec espoir, frémissante.

Que devrait-il faire ? C'était une bonne secrétaire et il ne voulait pas la perdre. Il ne voulait pas la blesser.

Elle s'impatientait.

— David, mon chéri, viens à moi. Je n'ai pas peur.

Il prit une grande inspiration et, hésitant, passa la main sur sa poitrine. Il n'y avait pas de poitrine !

— Je sais que je n'ai pas été favorisée par la nature, mais mes reins sont en feu !

Doux Jésus ! pensa-t-il. Dans quel pétrin suis-je en train de me mettre ?

N'en pouvant plus d'attendre, elle mit ses deux mains derrière sa nuque et attira sa bouche vers la sienne.

Quel cauchemar, pensa-t-il. Mais alors que sa langue s'affairait dans sa bouche, son corps commença à réagir et bientôt il fut prêt.

Elle était anguleuse, osseuse et étonnamment forte. Elle réussit à lui enlever ses pantalons et ses caleçons, et se mit à explorer son corps avec sa bouche, à l'embrasser et, dans un accès soudain de passion qui le secoua furieusement de la tête aux pieds, c'en était fait pour lui. Il cria, mais elle continua, le poussant jusqu'au délire. Elle fut agitée par un frémissement et s'immobilisa complètement.

Ils étaient allongés, silencieux, le corps de David avachi par-dessus celui de mademoiselle Field. Il avait peine à croire ce qui venait d'arriver. La placide et timide secrétaire savait vraiment comment s'y prendre.

Il se leva et alla s'enfermer dans la salle de bain. Son corps était couvert de zébrures rouges là où elle avait enfoncé ses doigts dans sa peau. Quelle diablesse !

Lorsqu'il revint dans la pièce, elle avait revêtu son cardigan et débarrassait sagement la table. Elle détourna son regard de lui pendant qu'il enfilait ses caleçons et ses pantalons.

— Voudriez-vous du café avant de partir, monsieur Cooper ? dit-elle.

Sa voix était contrôlée, et ses joues légèrement rosies indiquaient ce qui venait d'arriver.

— Euh, non merci, mademoiselle Field.

Il lui emboîta le pas.

— Je dois vraiment partir.

— J'espère que nous pourrons remettre ça, dit-elle sur un ton égal.

— Oui.

Il hésita.

— Eh bien, au revoir. À demain, au bureau.

— Au revoir, monsieur Cooper. À demain.

Une fois dehors, il poussa un grand soupir. Il serait obligé de la congédier. L'idée qu'elle travaille à ses côtés chaque jour serait un horrible rappel de l'événement. Sa prochaine secrétaire serait jolie, juste au cas où il aurait un jour à faire face à une autre situation semblable.

Il songea à Linda avec nostalgie. Il était prêt à rentrer à la maison.

* * *

— Linda, ma chère ! Tu es splendide ! Si svelte, si jeune ! Le divorce te va tellement bien.

Monica l'emmena dans le salon.

— Soirée intéressante en vue : pas un seul couple marié. Jack et moi avons pensé que ce serait plus amusant. Viens que je te présente à tout le monde.

Il y avait environ douze personnes assises ou debout. Linda reconnut le frère de Monica, un designer de robes. Il était en compagnie d'une petite femme trapue qui portait un pyjama en soie très inapproprié.

— C'est la princesse Lorenz Alvaro avec Rodney, murmura Monica. C'est excitant, non ?

Linda n'avait jamais entendu parler de la princesse Alvaro et ne comprenait pas ce qu'il y avait de si excitant puisque Rodney était gai.

Elle se retrouva en peu de temps à bavarder avec un médecin, un homme grand et agréable. Avant d'avoir terminé un martini, il l'avait invitée à souper le lendemain soir. Pourquoi pas ? se dit-elle. Elle accepta. Il était assez séduisant et semblait très épris d'elle. Un homme sympathique, pas du tout le même type que David.

D'autres gens arrivèrent, et Linda se retrouva coincée dans un coin à écouter le médecin lui raconter l'histoire interminable d'un patient souffrant d'une jaunisse. Il était plutôt ennuyeux. Elle sourit poliment, regrettant d'avoir accepté son invitation à souper. Médecin ou pas, il avait une haleine de cheval.

Elle jeta un coup d'œil autour de la pièce. Elle aperçut Jay. Elle se redressa, lissa sa robe avec ses mains et replaça légèrement ses cheveux. Il ne l'avait pas vue. Il discutait avec Rodney et la princesse Alvaro, et fut joint par la blonde qui était dans le hall d'entrée du Dorchester le jour de leur dîner. Elle était encore plus jolie dans un ensemble-pantalon blanc élégant avec ses cheveux retenus sur le dessus de la tête par un ruban blanc. Jay passa son bras autour de ses épaules et elle lui sourit.

Linda détourna son regard. Le médecin monologuait toujours.

Monica annonça qu'un buffet froid était servi dans l'autre pièce.

— J'ai faim, dit Linda ostensiblement.

— Ma foi, dit le médecin, je devais vous ennuyer au plus haut point. Allons manger.

Il la prit de manière possessive par le coude et la dirigea vers la pièce voisine, où elle arriva face à face avec Jay.

Il faillit échapper deux assiettes remplies qu'il tenait en équilibre.

— Linda !

Il avait l'air ravi.

— Jay, lui répondit-elle sur le même ton.

— Où étais-tu passée ?

— J'étais à la campagne avec les enfants.

— Tu es magnifique.

« Avais-je si mauvaise mine auparavant ? » se demanda-t-elle.

— Merci.

Elle ne pouvait s'empêcher de sourire béatement. Ils étaient tous deux là, debout, à se regarder, sourire aux lèvres, lorsque le médecin resserra son emprise.

— Allons vite chercher à manger, dit-il

— Ah, oui.

Le cœur de Linda battait la chamade.

— À tantôt, dit Jay.

Il lui fit un clin d'œil et imita le ton du médecin.

— « Allons vite chercher à manger ! »

— Ces réalisateurs américains sont tous pareils, dit le médecin lorsque Jay fut hors de portée de voix.

— Oh ?

— On connaît tous le genre : effronté, vulgaire, imbu de soi-même.

— Connaissez-vous Jay Grossman ? lui demanda Linda, vexée.

— Disons que nous avons une amie commune.

— Qui ? demanda-t-elle de manière impolie.

— Pas de noms, pas de répercussions.

— Pardon ?

Elle détestait soudainement le médecin.

Il esquissa un sourire furtif.

— En fait, c'est l'une de ses ex-conjointes.

— Oh.

Elle essaya d'avoir l'air indifférente.

— Une femme charmante, poursuivit le médecin. J'ai appris entre les branches qu'elle avait éprouvé beaucoup de difficultés avec lui. Elle vient tout juste de se remarier.

— Lori ? lui demanda Linda, froidement.

Le médecin avait l'air surpris.

— Oui. Lori est à Londres avec son mari. Il est extrêmement riche.

— Intéressant, dit-elle sur un ton sarcastique, avant de se servir rapidement et de se précipiter vers l'autre pièce.

Le médecin la suivit de près. Il n'y avait pas de place où s'asseoir.

Jay était sur le canapé avec la blonde.

— Linda, appela-t-il. Assieds-toi ici.

— Excusez-moi, dit-elle au médecin.

Jay se leva pour lui céder sa place. La blonde lui jeta un regard, visiblement agacée.

— Susan, dit Jay, je te présente une très bonne amie, Linda Cooper.

— Bonjour, dit Susan, le sourire flasque.

Le médecin s'accroupit devant elles, mangeant avec appétit le contenu de son assiette, qu'il avait remplie copieusement. Jay s'éloigna vers l'autre côté de la pièce.

Susan se leva soudainement.

— Peut-être que votre ami aimerait s'asseoir, dit-elle à Linda.

Elle alla rejoindre Jay, et le médecin prit place rapidement aux côtés de Linda. Elle était vraiment coincée, car de toute évidence il n'avait pas l'intention de la quitter.

— Puis-je vous ramener à la maison plus tard? demanda-t-il.

— Je suis désolée, je suis venue avec ma voiture.

— Dommage.

Il secoua la tête.

— Peut-être que je devrais vous suivre pour m'assurer que vous rentriez à la maison en sécurité.

Il gloussa. Elle voulait hurler, tant il était ennuyeux! Elle ne se donna pas la peine de lui répondre, et se leva d'un bond. Il se leva aussi.

— Excusez-moi, dit-elle avec aplomb. Je dois aller à la salle de bain.

Tout était paisible dans la chambre de Monica, à l'étage. Elle s'assit devant la coiffeuse et replaça quelques mèches de ses cheveux. Monica la trouverait-elle impolie si elle partait maintenant? Cela lui importait peu. Elle chercha son blouson parmi les manteaux sur le lit. Quel gaspillage d'argent, cette robe de mousseline noire qu'elle portait.

Elle trouva son blouson, descendit l'escalier, et s'éclipsa. Elle appellerait Monica le lendemain pour lui expliquer qu'elle avait eu un mal de tête et croyait qu'il était préférable de ne pas l'embêter avec cela. Monica serait probablement insultée, ne l'inviterait plus jamais, et puis après? Il était plus amusant de rester à la maison avec les enfants.

De retour chez elle, elle se dévêtit lentement, tentant de comprendre pourquoi diable trois heures auparavant elle avait pris un temps fou à appliquer minutieusement son maquillage, ayant si hâte à l'ennuyeuse fête de Monica. À quoi s'était-elle attendue au juste? Le prince charmant, pas un médecin insipide à l'haleine fétide.

Elle se sentait déprimée. Les filles comme Susan donnaient le ton avec leurs corps élancés. Admets-le, pensa Linda, tes meilleures années sont derrière toi et tu les as données à David. Tu as deux enfants. Tu es divorcée. Tu dois désormais te contenter des restes.

Elle se sentait seule le soir. Elle avait brièvement songé à appeler Paul, mais son bon sens l'avait emporté. Avait-elle commis une erreur en divorçant de David ? Elle aurait peut-être dû lui donner une deuxième chance. Non, elle avait eu raison, ce qu'elle vivait maintenant était préférable à une vie de mensonges avec David.

Elle plongea dans un sommeil perturbé. Une heure plus tard, le téléphone sonna.

— Allo, répondit-elle d'une voix endormie.

— Est-ce que tu m'évites ?

— Pardon ?

Elle n'était pas entièrement éveillée.

— Je te laisse des messages, tu ne me rappelles pas. Tu m'ignores toute la soirée, et ensuite tu t'enfuis. Je veux souper avec toi demain soir, aucune excuse n'est permise.

— Oui, Jay.

Sa voix était faible.

— Je vais passer te chercher à vingt heures. Tout appel pour annuler est interdit. Je t'ai appelée trois fois.

Elle ne savait pas quoi lui répondre.

— C'est entendu, donc, demain à vingt heures, dit-il après une brève pause. Et porte la robe noire que tu avais ce soir ; elle est magnifique.

Soudainement, les choses avaient repris leur éclat. Jay Grossman était de loin le meilleur deuxième.

* * *

Conrad finit par revenir. Il l'avait laissée seule pendant une heure et demie ; Claudia, ayant feuilleté tous les magazines et attendu tout ce temps, était un peu susceptible. Elle masqua son irritation par un sourire.

Il était saoul. Il l'empoigna et fit courir ses mains charnues sur ses courbes à travers la robe fine.

Elle s'écarta de lui. Ce n'était pas ce qu'elle avait prévu.

— Nous n'allons pas à l'étage ? demanda-t-elle.

Son haleine – un mélange d'ail fort et de scotch – l'enveloppa lorsqu'il lui répondit.

— Bien sûr, bien sûr. Je veux juste un peu de préliminaires.

Il poussa sa main à l'intérieur du décolleté de Claudia, empoignant ses seins de ses doigts rugueux.

— Tu me fais mal, se plaignit-elle. Dis donc, tu es en train de déchirer ma robe.

Elle s'écarta de lui à nouveau, furieuse qu'il ait abîmé sa robe, mais elle garda tout de même un sourire provocateur.

— Montons dans ta chambre, mon chéri, roucoula-t-elle. Donnons-nous-en à cœur joie en haut.

— Enlève d'abord tes vêtements ; je veux voir la marchandise, dit-il avec urgence.

De toute évidence, il ne servait à rien de discuter avec lui. Elle lui réglerait son compte une fois dans le lit.

Elle retira langoureusement les couches vaporeuses de sa robe en jersey blanc. Elle n'avait en dessous qu'un brin de jarretelle et des bas de nylon fins, ses longues jambes paraissant encore plus allongées grâce aux talons exceptionnellement hauts qu'elle portait.

Il s'élança, tombant à genoux devant elle et l'empoignant par la taille. Il enfonça ses dents dans la chair de son ventre et mordit fort.

Elle hurla de douleur et l'éloigna d'un coup de pied.

— Fils de pute !

Il éclata de rire en rugissant. Elle se frotta le ventre, ses yeux dangereusement brillants, sa bouche formant un sourire crispé. Il voulait jouer à des petits jeux, hein ? Eh bien, elle en avait quelques-uns en tête.

— Viens.

Il se déplaça lourdement. Elle le suivit. Il la poussa devant lui vers le haut de l'escalier, caressant ses jambes, tentant de toucher à son entrejambe. Ils parvinrent à la chambre. Il faisait très noir ; elle ne pouvait presque rien voir.

— Monte dans le lit, commanda-t-il.

Elle monta sur le grand lit rond, mécontente, mais se disant que les choses seraient différentes le lendemain matin lorsque ce gros lard serait sobre.

Il alluma les lumières, des lumières fortes et éblouissantes qui éclairaient le lit d'un angle dur. Elle remarqua un immense miroir au-dessus du lit.

Il monta sur elle, ne se donnant même pas la peine de se déshabiller, se contentant de déboutonner ses pantalons.

— Ouvre grand, ma mignonne, dit-il. On passe à l'action.

Il se servit d'elle avec brutalité, la chevauchant sans ménagement et exigeant toutes sortes de positions, la forçant à le baiser sous tous les angles possibles.

Elle travailla fort. Il fallait qu'elle fasse en sorte qu'il se souvienne de ce moment. En réalité, c'était drôle. Le jour où elle serait célèbre, tout le monde dirait qu'elle avait été découverte en une nuit. Et ils auraient raison !

Il avait enfin fini. Son corps était endolori d'avoir été trituré. Elle était meurtrie et usée. Elle était couchée en croix, trop épuisée pour bouger.

Lui, par contre, était étonnamment plein de vigueur.

— J'ai une petite surprise pour toi, lui dit-il. Reste là.

Il se leva du lit et appuya sur un interrupteur près de la porte. Le miroir au-dessus s'ouvrit au centre, et deux pans glissèrent, laissant un trou dans le plafond. Des visages souriants l'observaient en cercle depuis l'ouverture. Elle se releva rapidement, horrifiée.

— Quelques-uns de mes amis, lui dit Conrad sans broncher. Ces miroirs-espions sont une super accroche pour démarrer une fête sur les chapeaux de roue !

Il pouffa de rire.

— Choisis celui qui te plaît pour la prochaine ronde.

Une vieille femme au visage monstrueusement maquillé apparut.

— Pourquoi pas moi, Conrad ? Je peux me la taper ? Elle semble s'y connaître passablement.

— Non, c'est à mon tour, dit un homme. Laisse-moi la baiser à fond.

— Oh, mon Dieu !

Claudia sauta du lit.

— Qu'y a-t-il ? lui demanda Conrad. Tu ne veux pas être dans le film ?

Elle le fixa des yeux. Son premier réflexe était de filer.

Mais à quoi bon partir maintenant ? Ce n'est pas comme cela qu'elle finirait par apparaître au grand écran.

— D'accord, finit-elle par dire. D'accord. Je vais rester, mais cette fois-ci promets-moi que tu tiendras parole.

— Je te promets, lui dit-il d'un ton moqueur.

Chapitre 16

David réussit à passer à travers la première partie de la semaine sans problème. Mademoiselle Field était, comme toujours, la secrétaire parfaite, tranquille et discrète. Ni l'un ni l'autre ne fit référence au dimanche précédent comme si l'événement n'avait jamais eu lieu.

David se disait qu'il avait simplement fait un mauvais rêve, mais un sombre pressentiment lui disait que la chose s'était bel et bien produite. Le plus tôt serait le mieux s'il voulait se débarrasser de mademoiselle Field. Entretemps, leur relation n'avait pas changé d'un iota.

Il décida d'attendre deux semaines et de la faire muter à un autre service, peut-être avec une augmentation de salaire. Elle ne s'opposerait pas à cela.

Monsieur Taylor du compte Fulla Beans était en ville. David n'était pas séduit par la perspective de le divertir, mais comme d'habitude il était l'heureux élu. Ces visiteurs de l'étranger ne se lassaient-ils jamais de ces inévitables boîtes à gogo et de leurs hôtesses débraillées et pathétiques? Apparemment, non. Une fois de plus, David devait arranger le coup, cette fois-ci avec une rouquine prénommée Dora. Dora suggéra en gloussant qu'il serait fort amusant si Burt Taylor et David l'accompagnaient à son lit à l'arrière de la scène.

L'idée ne plaisait ni à l'un ni à l'autre. Dans le cas de Burt, parce qu'il ne voulait pas la partager. Dans le cas de David, parce qu'il ne voulait rien savoir.

Elle était très insistante et lorsque Burt Taylor, les yeux exorbités à l'idée du spectacle qu'elle leur offrait, devint plus chaud à l'idée, David en eut vraiment marre.

Il réussit à les convaincre d'y aller sans lui. Il détestait tellement ce type de divertissement. Ces libertines de boîtes de nuit n'étaient pas sa tasse de thé. Il retourna à sa chambre d'hôtel et se coucha.

La semaine traîna en longueur. Le mercredi après-midi, il appela à la maison pour parler aux enfants. Ils venaient tout juste d'arriver de l'école et prenaient leur collation. Ana lui dit que madame Cooper était sortie.

Il était convaincu que Linda ne verrait pas d'inconvénient à ce qu'il passe les voir. Peut-être qu'elle le laisserait rester pour souper. Tout était une question de temps avec Linda. À la longue, elle se rendrait compte qu'une réconciliation avec lui était la seule chose sensée.

Il dit à Ana qu'il passerait tout de suite. Elle marmonna quelque chose en espagnol. Il pouvait entendre les cris d'excitation des enfants.

Il quitta le bureau de bonne humeur et fit un arrêt au magasin Hamley's où il se remplit les bras de jouets. Il arrêta chez Swiss Cottage et acheta des fleurs. Il arriva à la maison deux heures plus tard.

Linda répondit à la porte, peu loquace et furieuse. Elle se tenait sur le seuil de l'entrée.

— Les enfants sont dans le bain, dit-elle froidement.

— D'accord. Je peux attendre.

Il lui offrit des fleurs. Elle n'en tint pas compte.

— David, nous avions une entente selon laquelle tu ne pouvais rendre visite aux enfants que les fins de semaine.

— Qu'est-ce que ça change que je vienne maintenant ou la fin de semaine? Est-ce que tu vas me punir parce que je veux voir mes enfants?

Elle recula, se sentant lasse. Elle ne voulait pas être injuste envers les enfants. Il était après tout leur père.

— Entre, mais ne recommence pas, s'il te plaît.

— Que veux-tu dire? De ne plus visiter mes propres enfants?

— Non, David, je veux dire de t'en tenir aux heures de visite convenues.

— Tu m'étonnes, dit-il en hochant la tête. Je n'aurais jamais cru que tu te servirais de Jane et Stephen contre moi.

Ses yeux se remplirent de larmes en entendant ses propos injustes.

— Ce n'est pas ce que je fais. J'agis simplement pour le mieux.

Il la regarda froidement.

— Et selon toi la meilleure chose à faire est d'empêcher deux enfants innocents de voir leur père.

— Tu déformes mes paroles.

— Je ne déforme rien du tout. Je ne fais que répéter ce que tu dis.

Il lui imposa son bouquet.

— Prends-les – ou peut-être que tu préférerais les jeter comme tu le fais avec moi.

Elle accepta les fleurs.

— Je vais voir si l'heure du bain est terminée.

— Est-ce que tu m'autorises à monter pour les voir dans le bain ?

Le ton de sa voix était incisif.

— Bien sûr.

Stephen était debout dans le haut de l'escalier, tout propre dans un pyjama à rayures.

— Papa ! s'écria-t-il.

Linda entendit le cri de joie d'en bas. Elle jeta un coup d'œil à sa montre. Il était dix-huit heures. Elle devrait peut-être appeler Jay et lui dire qu'elle devait annuler leur sortie. Elle était tellement confuse. L'attitude de David à son égard était tellement injuste. Il se comportait comme si c'était elle la responsable de la situation.

Il descendit l'escalier, Jane recroquevillée dans ses bras, Stephen se cramponnant à sa main. Il alla chercher les paquets de la voiture. Les enfants crièrent d'excitation.

Linda ferma la porte du salon et les laissa à eux-mêmes. Elle alla à l'étage et s'allongea dans son lit. Elle avait cru que la partie la plus difficile du divorce était terminée, mais lorsqu'il y a des enfants, ce n'est jamais fini, il y a toujours une petite voix qui pose des questions : « Pourquoi papa n'habite plus ici ? », « Quand est-ce que papa va revenir ? », « Est-ce que tu aimes encore papa ? »

Elle tenta de joindre Jay. Il était sorti.

Après une heure, elle descendit au rez-de-chaussée.

— Venez, c'est le moment d'aller au lit, dit-elle en forçant un sourire. Il faut aller à l'école demain.

Stephen la foudroya du regard.

— Oh, maman !

Jane se mit à pleurer.

— Dix minutes de plus ? dit David.

— S'il te plaît, maman, la supplia Jane.

— D'accord, mais pas plus de dix minutes.

Elle jeta un autre coup d'œil à sa montre. Il était dix-neuf heures passées et Jay devait arriver à vingt heures. Elle ne voulait pas que les deux hommes se rencontrent. Elle aurait aimé pouvoir trouver Jay et annuler leur sortie. Ce n'est pas qu'elle voulait annuler, mais elle n'avait pas vraiment envie de sortir en ce moment.

Vingt minutes plus tard, les enfants étaient dans leur lit et David leur lisait une histoire. Lorsqu'il descendit, il était dix-neuf heures quarante-cinq. Il était d'humeur agréable.

— J'aimerais bien un verre.

Elle était nerveuse. Elle avait tout à fait le droit d'avoir un rendez-vous galant, mais elle savait d'instinct que cela déplairait à David.

Il se versa un scotch.

— Tu sais, Stephen est un garçon très intelligent. Nous devrions discuter sérieusement de son avenir.

Elle se calma.

— En effet, mais pas à ce moment précis. Je dois me changer.

Le ton de sa voix était intraitable :

— Je sors ce soir.

— C'est bien.

Il y eut un moment de silence.

— Belle petite vie douillette, ajouta-t-il.

— Pardon ? dit-elle d'une voix contrôlée.

— Tu sais ce que je veux dire, pas de souci, belle maison. Je paie toutes les factures, et toi, tu fais la fête.

— Je ne fais pas la fête, et tu le sais très bien.

— Voyons donc. Tu es une femme séduisante, divorcée. Un homme sait reconnaître une bonne affaire ; une petite partie de jambes en l'air, ça plaît toujours. Tu as dû recevoir des douzaines d'offres. Je parie…

Les joues de Linda s'enflammèrent.

— Sors d'ici ! Sors d'ici maintenant !

Il posa son verre calmement.

— Qu'est-ce qui ne va pas ? N'essaie pas de me faire croire qu'il ne se passe rien dans ton lit.

— Je te prie de partir, David. Tout de suite.

Il marcha de manière désinvolte vers la porte.

— D'accord, d'accord, ne t'énerve pas. Je ne rôderai pas autour pour gâcher ton rendez-vous. Je vais maintenant retourner à ma chambre d'hôtel. Ne t'inquiète pas pour moi ; amuse-toi bien.

Lorsqu'il franchit la porte, elle la lui claqua au nez.

Il monta dans sa voiture, furieux. Salope écervelée ! Elle est tout aussi pourrie que Claudia. Elles sont toutes pareilles, toutes des salopes qui essaient de te prendre par les couilles et tout t'extorquer.

Il fit le tour du pâté et revint se stationner à quelques maisons. Pourquoi ne pas attendre pour voir avec qui elle sortait ?

* * *

Jay arriva quelques minutes en retard, mais pas assez pour permettre à Linda de se remettre de ses émotions. Il la trouva en larmes.

— Je ne peux pas sortir, sanglota-t-elle.

Il l'enveloppa de ses bras. Elle appuya sa tête contre sa poitrine et lui fit un récit pêle-mêle de ce qui s'était passé.

Il était compatissant.

— Tu dois en parler à ton avocat à la première heure demain. Tu peux obtenir une ordonnance de la cour pour l'empêcher de t'importuner. Des moments de visite précis ont été fixés et il va devoir s'y tenir.

— J'ai cru qu'il serait tellement méchant de ma part de ne pas le laisser voir les enfants.

— C'est précisément le sentiment qu'il veut faire naître en toi. Il en a probablement assez de baiser à gauche et à droite, et a décidé qu'il voulait revenir. La seule façon qu'il peut t'atteindre est par les enfants.

— Tu penses ?

— C'est sûr. Écoute, Linda – j'ai de l'expérience en la matière. Il a saboté une vie de rêve avec toi. Tu n'es pas une gamine inculte, mais une femme charmante, et je parie qu'il veut te ravoir.

Il fit une pause et lui demanda nonchalamment quels étaient ses sentiments pour David.

Elle réfléchit.

— Je ne sais pas. Je ne l'aime pas. C'est que malgré ses insultes, je trouve qu'il fait pitié. Après tout, j'ai la maison et les enfants, et lui, qu'est-ce qu'il a ?

— Oh là là, cesse tout de suite. Tu te mets à penser précisément comme il veut que tu penses. Il a fait ses choix, non ?

Elle hocha la tête.

— Tu as raison.

— Tant mieux. Au moins, tu commences à te rendre compte que j'ai toujours raison !

Il rit.

— Maintenant, continua-t-il, monte dans ta chambre, rafraîchis ton maquillage, enfile ta robe noire, et allons-y.

Elle sourit.

— Oui, Jay.

Il l'emmena chez Annabel's où ils soupèrent tranquillement. Jay la captiva avec des histoires amusantes à propos du film et du lieu de tournage en Israël. Il lui parla de ses enfants : il en avait trois, un de son premier mariage et deux autres de son second.

— De magnifiques Californiens blonds, dit-il sur un ton moqueur. Je n'ai pas souvent l'occasion de les voir. Lori détestait les enfants.

— Quel âge ont-ils ?

— Caroline est l'aînée ; elle a quinze ans et est un peu cinglée. Elle habite San Francisco avec Jenny, ma première femme. Ensuite, il y a Lee, dix ans, et Lance, qui a neuf ans. Ils ont un merveilleux beau-père maintenant, et je les vois lorsque je suis à Los Angeles.

— Je ne suis jamais allée en Amérique. Est-ce que tout est aussi clinquant que ce que l'on voit à l'écran ?

Il rit.

— J'imagine qu'on peut dire que Hollywood est assez clinquant. Pour ma part, la seule chose que j'aime de l'endroit est le climat.

Après leur souper, des amis de Jay, aussi du monde du cinéma, se joignirent à eux.

C'était une belle soirée. Jay ramena Linda chez elle dans une voiture de studio avec chauffeur et l'embrassa sur la joue.

— Que dirais-tu de se revoir samedi ? demanda-t-il.

— Oui, répliqua-t-elle doucement.

— Je t'appellerai demain. Et n'oublie pas d'appeler ton avocat à la première heure.

— Je vais le faire.

Ils se sourirent. Elle rentra chez elle et le regarda de la fenêtre remonter dans la voiture. Il lui plaisait beaucoup.

* * *

Claudia se réfugia dans son lit à son appartement. Elle s'enfouit sous les couvertures, meurtrie, usée et craignant de faire face à qui que ce soit.

Le jour après la débâcle avec Conrad, elle appela son agent pour lui dire que tout avait été arrangé, et qu'il aurait des nouvelles du studio. Elle prit ensuite une série de pilules et dormit, ou tenta de dormir.

Claudia n'était pas naïve ; il y avait eu de nombreux hommes, diverses scènes, des films pornos... Mais elle n'avait jamais vécu rien d'aussi dégradant que lors de cette soirée à la maison de Conrad. Lorsqu'elle fermait les yeux, des images de visages maléfiques souriants méchamment défilaient devant elle. Toutes les choses qu'ils lui avaient fait faire lui traversaient l'esprit à toute vitesse. Elle pouvait encore sentir leurs mains sur sa chair. Son corps hurlait des douleurs de sévices sexuels.

Elle resta sous les couvertures, sans manger, ignorant le téléphone, immobile et engourdie pendant plusieurs jours.

Personne ne se préoccupait d'elle, personne ne vint la voir. Si elle mourait, on ne la trouverait probablement qu'après plusieurs mois. Où étaient donc passés tous ses « amis » ?

Elle se força finalement à se lever. Elle était mince et blanche. Elle s'habilla et sortit. Les gens dans la rue la dégoûtaient. Elle se rendit chez Gilles. Il était dans les îles de Majorque. Elle retourna chez elle et coupa sa magnifique chevelure fauve avec ses ciseaux à ongles. Elle retourna sous les draps et réussit à dormir cette fois-ci.

Lorsqu'elle se leva le lendemain, elle se sentait beaucoup mieux. Elle ouvrit quelques boîtes de conserve et mangea. Elle était horrifiée lorsqu'elle constata ce qu'elle avait fait à ses cheveux ; des mèches sortaient de partout – un vrai gâchis. Elle lut les journaux et les magazines qui s'étaient empilés au fil des jours, et appela son agent.

Non, il n'avait pas encore eu de nouvelles. Avait-elle lu que Conrad se mariait ?

Elle reprit le journal. Eh oui : « Conrad Lee, soixante-deux ans, célèbre producteur de cinéma, épousera l'ex-mannequin et ex-danseuse de vingt-deux ans, Shirley Sheldon. »

Shirley Sheldon ! Claudia suffoqua presque d'étonnement. Shirley Sheldon ! Ex-fiancée de l'honorable Jeremy Francis, ex-danseuse nue. Ce n'était pas possible. Shirley était une arriviste. Elle avait mis le grappin sur Jeremy seulement parce qu'il avait un titre de noblesse.

Claudia présumait qu'elle visait l'argent et la célébrité de Conrad. Mais qu'est-ce qu'il pouvait bien voir en elle ? Elle n'était pas particulièrement jolie, elle avait une affreuse silhouette et elle était ennuyeuse à mourir. Le vieil imbécile devait vraiment croire que c'était une débutante. Quelle farce ! Mais c'est elle qui les avait présentés. Elle se souvient de Shirley à sa fête et son beau bronzage. Elle devait être allée en Israël. Quelle vache ! Où était-elle l'autre soir ? Il ne faisait pas participer sa fiancée à ses orgies ? Sinon, pourquoi pas ?

Elle relut l'article. Le mariage allait avoir lieu le jour même. Elle n'arrivait tout simplement pas à y croire. La mince Shirley Sheldon, non seulement n'était-elle pas une débutante, elle n'avait pas vingt ans non plus.

— Argh ! renifla-t-elle.

C'en était trop.

Elle se précipita aussitôt sur le bottin téléphonique et chercha l'honorable Jeremy. Elle trouva son numéro et le composa rapidement.

Il était à la maison. Il bégayait et était aussi hésitant que jamais.

— D… d… dis donc, Claudia, que me vaut l'honneur, lui dit-il après qu'elle se soit annoncée.

— Vas-tu au mariage de Shirley ? lui demanda-t-elle sans détour.

— Tout à fait, je ne manquerais pas ça pour tout... q… q… quoi ?

— Je pensais qu'on pourrait y aller ensemble, dit-elle nonchalamment. Il serait temps que l'on se revoie.

Il gloussa de bonheur.

— Excellente idée. D… d… devrais-je aller te chercher ?

Elle sourit ; c'était trop facile.

— Parfait. À quelle heure ?

— Si la réception c… c… commence à d… d… dix-huit heures, je crois que nous devrions arriver à dix-sept heures trente.

— Merveilleux, Jeremy.

Elle lui donna son adresse et raccrocha. Quel idiot, pensa-t-elle.

Elle passa l'après-midi chez le coiffeur et en sortit avec un tout nouveau look. Ses cheveux étaient désormais courts comme ceux d'un garçon, lissés, avec de longs favoris. Heureusement, c'était le look de l'heure. De toute façon, tous les *top-modèles* avaient cette coupe. Elle s'agençait merveilleusement bien à la toute petite robe droite dorée qu'elle choisit de porter.

Jeremy était fort impressionné.

— D… d… dis donc, ma belle, tu es absolument splendide ! dit-il lorsqu'il passa la chercher.

Elle lui prépara un solide martini et remarqua que son acné ne s'était pas améliorée. Elle résista à la tentation forte de lui demander s'il lui arrivait de baiser.

— Alors que dis-tu de ça, la bonne vieille Shirley qui se fait conduire à l'autel, dit-elle, sirotant son martini et exhibant une grande partie de ses jambes pendant qu'elle prenait place dans le gros fauteuil du côté opposé à lui.

Ses yeux sortirent de leur orbite.

— Oui. En e… f… f… fet.

— Qu'est-ce qui s'est passé entre vous deux ?

— Eh bien – il agitait ses longs bras maigres – c'est une fille s… s… s… super, très amusante et tout, mais elle m'a dit qu'elle avait besoin de quelqu'un de plus m… m… mûr.

Il prit quelques gorgées de son martini, sa pomme d'Adam tressautant de façon rythmique.

— Nous sommes demeurés de grands amis, ajouta-t-il mollement.

— C'est mieux ainsi, dit Claudia vivement. Après tout, elle est tellement plus vieille que toi.

— Elle l'est ?

Jeremy avait l'air surpris.

— Je ne veux pas dévoiler le secret de personne. Elle prend vraiment bien soin d'elle, mais pendant combien de temps peut-elle continuer à berner tout le monde ?

Claudia secoua la tête sagement, et Jeremy la fixa des yeux, la bouche ouverte de façon absurde.

— On y va? demanda-t-elle gaiement, se levant d'un bond et passant les mains sur sa robe.

— Euh... oui.

Jeremy se leva également.

Il était très grand et disgracieux – un vrai phénomène sans menton, pensa Claudia. Il n'était pas étonnant que Shirley l'ait laissé tomber pour Conrad. Au moins Conrad avait un certain style grotesque.

Jeremy conduisait une MG rutilante, mais très inconfortable : il devait se tortiller pour se caser derrière le volant.

— Pourquoi ne t'achètes-tu pas une voiture plus spacieuse ? demanda-t-elle.

Après tout, ses parents étaient censément bien nantis.

— Oh, cette petite bagnole me permet de voyager, dit-il fièrement. Je ne l'é... ch... ch... changerais pour rien au monde.

Il conduisait mal, relâchait brusquement la pédale d'embrayage, coupait les autres conducteurs et faisait la course avec les voitures aux feux de circulation.

Claudia avait la nausée lorsqu'ils arrivèrent à destination. Elle avait besoin d'un verre, et vite. Elle anticipait avec joie de voir l'expression sur les visages de Shirley et de Conrad lorsqu'ils la verraient. Surprise !

* * *

David était assis dans sa voiture et fumait une cigarette. Il n'eut pas à attendre très longtemps avant qu'une élégante limousine noire avec chauffeur s'arrête devant sa maison, plutôt la maison de Linda. Un homme en sortit. David était trop éloigné pour le reconnaître. Il jura à voix basse et approcha lentement sa voiture de la limousine, mais il était trop tard, l'homme était déjà entré dans la maison.

Eh bien, Linda semblait fort bien se débrouiller. L'homme, peu importe qui il était, semblait de toute évidence bien nanti.

Les femmes étaient de telles comploteuses. Elles ne pouvaient pas attendre. Ils n'étaient divorcés que depuis quelques semaines, ce qui n'empêchait pas Linda de sortir et de mener la belle vie. Elle avait probablement cette bonne poire dans son collimateur depuis longtemps ! Salope ! Elle n'était pas beaucoup mieux que Claudia.

Il attendit patiemment qu'ils sortent. Ils prenaient certainement tout leur temps, s'offrant probablement un petit coup vite fait dans le salon. Il songea à entrer et à envoyer un coup de poing à l'homme en question, peu importe qui il était. Mais elle ne le laisserait sûrement pas entrer.

Elle le paierait cher lorsqu'il la reprendrait. À ce rythme-là, peut-être qu'il ne voudrait plus d'elle après tout.

Il resta assis, plongé dans ses pensées, jusqu'à ce qu'il les voie sortir de la maison. L'homme, le salaud, avait son bras autour d'elle. Le chauffeur sauta de la voiture et leur ouvrit la portière. Ils grimpèrent sur la banquette arrière, le chauffeur reprit sa place derrière le volant, et la voiture se mit en route.

David la suivit, gardant une distance raisonnable entre les deux véhicules. Malheureusement pour lui, le chauffeur avait décidé, au tournant de Swiss Cottage, de passer sur le feu jaune. David le suivit, grilla un feu rouge et fut arrêté par un agent de police en motocyclette. Il lui remit son permis de conduire et ses papiers d'assurance, et l'agent de police lui fit un exposé sur la conduite dangereuse. Évidemment, lorsque l'agent le laissa partir, la limousine avait disparu dans la nuit. La faim qui le tenaillait n'améliorait pas son humeur. Il détestait manger seul, mais à cette heure avancée, il n'avait pas vraiment le choix. Il décida d'aller dans un endroit gai, et se dirigea vers Carlo's.

L'endroit était bondé comme d'habitude. La foule était composée de femmes séduisantes vêtues de leurs tenues les plus saisissantes et d'acteurs, de photographes et de noceurs qui leur tenaient lieu d'escortes pour la soirée.

Le maître d'hôtel lui dit, en secouant la tête d'un air faussement désolé, qu'il ne pourrait libérer une table pour une personne avant au moins deux heures. David lui glissa quelques billets dans la main, ce qui eut pour effet d'améliorer ses perspectives. Il lui demanda d'attendre au bar, qu'il essaierait de voir ce qu'il pouvait faire.

David commanda un scotch sur glace et contempla la scène. Il ne pouvait s'empêcher de penser à la dernière fois qu'il était venu ici avec Claudia. Il se demanda ce qu'elle faisait en ce moment, mais réalisa qu'il s'en fichait. N'eût été d'elle, il serait à la maison avec sa femme à l'heure actuelle.

Une femme le fixait. Il lui retourna son regard. Son abondante chevelure blond cendré était montée en un haut chignon et elle portait un manteau de vison blanc. Son visage lui était familier. Elle était accompagnée de deux hommes – deux vieux Américains criards – en grande conversation ; l'un d'eux portait des bottes de cowboy.

Elle se tenait immobile. Belle et de marbre, distante de ses compagnons.

Soudainement, David se rappela qui elle était : Lori Grossman. Il posa son verre et alla la voir.

— Bonsoir, Lori, dit-il, David Cooper. Tu te souviens de moi ?

Elle esquissa un sourire sensuel et lui tendit une main allongée plus blanche que blanche.

— David. Quel plaisir.

Les deux hommes cessèrent de parler. Elle présenta le plus âgé – il devait avoir plus de soixante-dix ans – comme étant Marvin Rufus, son mari.

David avait l'air surpris. Où était passé Jay ?

— Assieds-toi et prends un verre, dit Marvin, et il reprit aussitôt sa conversation avec l'autre homme.

Lori fit glisser son manteau de vison blanc de ses épaules, révélant de la dentelle noire au décolleté vertigineux. Ses seins étaient petits, mais parfaits. Elle ne portait pas de soutien-gorge.

— J'ai largué Jay, répondit-elle à la question qu'il n'avait pas posée. Ce n'était qu'un sale avare.

Elle ajusta un magnifique bracelet de diamants autour de son poignet fin.

— Marvin, lui, sait comment traiter une femme, dit-elle.

Sa voix s'éteignit pendant que ses yeux aigue-marine pâle et glaciaux fixaient les siens avec avidité.

Elle était mûre ! David n'était pas peu fier du succès qu'il remportait auprès des femmes. Elle le mangeait tout rond avec ses yeux !

— Linda et moi sommes divorcés, dit-il. Le mariage a été un échec.

— Ouais, je sais, dit-elle de sa voix traînante.

— Tu le sais ? dit-il, étonné.

Elle sourit.

— Un petit oiseau me l'a dit. Je présume que tu sais que mon charmant ex-mari fréquente ton ex-épouse ? Sympa, n'est-ce pas ?

— Jay fréquente Linda ?

Il ne pouvait pas le croire.

— Eh oui, mon cher.

Elle se rapprocha de lui, et il sentit une soudaine pression exercée par sa jambe sous la table. Il mit sa main sur une cuisse soyeuse. Elle ne pouvait plus attendre !

Marvin et son interlocuteur poursuivaient leur conversation à propos des prix des marchés à Londres et de la dévaluation possible de la livre.

— Vous êtes ici pendant combien de temps ? demanda-t-il.

— Deux ou trois jours, dit-elle de sa voix monocorde.

Suffisamment de temps. Si Jay se tapait Linda, il pouvait s'offrir Lori. Elle était de toute évidence prête, disposée et capable.

Sous la table, il glissa sa main plus haut sur sa cuisse, touchant de la peau lisse au-dessus de la partie supérieure du bas.

— Attends-tu quelqu'un ? demanda-t-elle.

Il secoua la tête.

— Tu dois te joindre à nous alors, poursuivit-elle. Marve n'y verra pas d'objection. Il va continuer de parler affaires pendant des heures.

Leur table fut prête en quelques minutes. Comme Lori l'avait dit, son mari poursuivit sa conversation-fleuve, prenant à peine le temps de manger.

Lori mangea comme un oiseau, picorant de petits morceaux de bifteck et quelques feuilles de salade du bout des dents. La musique se mit à jouer. David invita Lori à danser. Elle était très grande, et sa coiffure en nid-d'oiseau ajoutait quelques pouces.

— Eh bien? dit-il lorsqu'ils se retrouvèrent sur le plancher de danse.

L'idée de foutre le désordre dans ce spectaculaire morceau hautain l'excitait. Elle sentit son excitation et se rapprocha.

— Marve voudra jouer à des jeux de hasard lorsque nous serons prêts à partir. Je lui dirai que je suis trop fatiguée et tu lui offriras de me raccompagner à l'hôtel. Nous avons chacun une suite. Il ne nous dérangera pas.

Il l'agrippa vers lui avec force. Il pouvait sentir ses os pendant qu'elle faisait des mouvements circulaires au son de la musique.

— Et si ça ne fonctionne pas? demanda-t-il.

— Ça va fonctionner, dit-elle d'un rire étouffé. Ça a toujours fonctionné jusqu'à présent.

* * *

Jay appela Linda le jeudi et le vendredi tel qu'il l'avait promis. Avoir des nouvelles de lui chaque jour lui donnait un sentiment de bien-être. Avec lui, elle se sentait vivante et à nouveau séduisante.

Elle courut les magasins à la recherche d'une robe avec laquelle elle pourrait lui plaire le samedi soir. Tout ce qu'elle voyait semblait avoir été fabriqué pour des filles de dix-sept ans sans poitrine. Elle opta pour une robe droite très simple en crêpe blanche, beaucoup trop chère, mais dont la coupe était impeccable. Elle consacra sa journée à ses enfants, les emmenant pour une longue promenade sur la lande et les laissant se promener sur le dos d'ânes. Elle adorait ses enfants et, avec Jay dans sa vie, elle semblait les aimer davantage.

Elle prit tout son temps pour se préparer pour lui : un long bain parfumé, la robe en crêpe blanche, quelques beaux bijoux. Elle ne pouvait s'empêcher de penser à lui, lui faisant l'amour. En avait-il envie ? Il l'aimait bien, de toute évidence. Lui ferait-il des avances ce soir ?

« Faire des avances » – quelle pensée juvénile. Elle était divorcée, mère de deux enfants, et non une adolescente à son deuxième rendez-vous.

Voudrait-il coucher avec elle ce soir ? C'était mieux. Elle le désirait, avait besoin de lui. Cela faisait longtemps qu'elle était seule. Finalement, elle était prête et il était, comme toujours, à l'heure.

— Tu es resplendissante, dit-il. Ça ne t'ennuie pas qu'on passe quelques minutes à une fête ? C'est pour affaires.

La fête était à Belgravia, dans une élégante maison d'avant l'époque victorienne, avec un majordome et une bonne à la porte.

Linda fut aussitôt intimidée. Elle jeta un regard autour du luxueux salon et repéra plusieurs visages bien connus. L'endroit semblait rempli de vedettes et de belles jeunes filles. Jay connaissait tout le monde. Il circulait, saluant des gens sur son passage pendant qu'elle le suivait à la trace, se sentant soudainement fade et pas à sa place.

Pour couronner le tout, une splendide blonde qu'elle reconnut comme étant Susan Standish passa son bras autour de lui et lui murmura quelques mots à l'oreille, suffisamment fort pour qu'elle entende.

— Salaud ! Comment as-tu osé partir avant que je me réveille ce matin !

Jay repoussa la fille en riant.

Linda se tourna et se dirigea vers l'autre côté de la pièce. Personne ne semblait intéressé de lui parler. Il s'agissait d'une fête où chacun était « quelqu'un » dans l'industrie du cinéma, et si vous n'étiez pas « quelqu'un » ou une belle jeune starlette, personne ne voulait vous connaître.

Elle trouva une chaise et s'assit. Quelle idiote elle avait été. Jay n'était pas intéressé ; il avait probablement pitié d'elle. Elle resta là à ruminer. C'était après tout un grand réalisateur et il avait l'embarras du choix parmi toutes les filles de Londres. Qu'est-ce qu'elle pouvait lui offrir qu'il ne pouvait se procurer ailleurs, mais avec une plus belle apparence ?

Il se dirigeait vers elle. Elle lui fit un grand sourire ; il ne fallait surtout pas lui faire voir qu'elle était perturbée et le gêner, à quoi bon ? Il n'y avait rien entre eux.

— Pourquoi es-tu partie si vite ? lui demanda-t-il, ses yeux un peu amusés. Tu m'as laissé dans les griffes d'une pseudo-starlette toujours à la poursuite de pauvres réalisateurs comme moi. Pourquoi n'es-tu pas restée pour me protéger ?

Elle aurait aimé lui dire : « Tu as couché avec elle hier soir, tu t'attendais à quoi au juste ? » Au lieu, elle lui sourit.

— Je ne sais pas. J'avais envie de m'asseoir.

— Nous pourrons partir dans une minute. Il fallait absolument que je fasse acte de présence sinon Jan ne me l'aurait jamais pardonné.

Il pointa une femme d'une grande beauté d'une quarantaine d'années, leur hôte.

Ils quittèrent la fête peu après et soupèrent dans un petit restaurant français à Chelsea. Vers le milieu de leur repas, il lui demanda ce qu'il n'allait pas.

Linda avait du mal à cacher ses émotions, et elle se comportait de façon presque guindée avec Jay.

— Rien.

De façon inexplicable, elle sentit que ses yeux se remplissaient de larmes. Il changea de sujet.

— Sortons les enfants demain. J'ai hâte de les rencontrer.

Elle n'arrivait pas à trouver un prétexte pour refuser.

— D'accord.

Elle hocha la tête machinalement.

— Est-ce que ça t'ennuierait de me ramener à la maison maintenant ; j'ai mal à la tête.

Il avait l'air surpris, mais ne fit aucune remarque. Il régla l'addition et ils quittèrent le restaurant.

La conversation fut pénible sur le chemin du retour vers Finchley. Linda trouva que la présence du chauffeur sans visage assis en avant avait un effet dissuasif.

À la porte de son domicile, elle présenta la main à Jay et il la serra avec sérieux.

— On se voit demain avec les enfants, vers midi. Nous les emmènerons manger, dit-il.

Elle hocha la tête, visiblement morose. Elle l'appellerait le lendemain matin pour annuler.

* * *

Il y avait foule à la réception du mariage.

— Mène-moi au bar – j'ai besoin d'un verre ! dit Claudia aussitôt rentrée.

— Ne d... d... devrions-nous pas les trouver d'abord ? bégaya Jeremy, regardant autour de lui d'un air distrait.

— Non, allons prendre un verre.

Ils se dirigèrent vers le bar. Claudia avala rapidement un verre de champagne et se sentit mieux. Elle survola la foule composée des amis de Shirley de la pseudo haute société et d'un groupe de gens du cinéma américain.

— Quel groupe ennuyeux, commenta-t-elle.

Jeremy la regarda d'un air confus.

Un serveur passa avec un plateau d'amuse-gueules et elle en prit quelques-uns.

— Beurk! La bouffe est infecte! s'exclama-t-elle. Un bout de saucisson sec, à l'image du marié.

Elle gloussa et avala encore du champagne.

Deux grandes et minces copies presque conformes de Jeremy, mais moins acnéiques, les approchèrent.

— J. Francis, mon vieux, hurla presque l'un d'eux, empoignant Jeremy par l'épaule et scrutant Claudia du regard.

— Comment allons-nous?

— Oh, s… s… salut, Robin.

Robin lâcha son emprise sur Jeremy.

— Qui est ta charmante compagne?

Jeremy agita ses bras.

— Euh, Claudia P… P… Parker, je te présente Robin Humphries.

— Lord Humphries, mon vieux. Il faut que tu fasses savoir à la dame à qui elle parle.

Il sourit à Claudia, révélant une ligne de dents croches tachées de nicotine.

Elle lui sourit à son tour. Elle sirotait son quatrième verre de champagne. L'autre jeune homme s'avança pour ne pas être en reste.

— Je suis Peter Fore-Fitz Gibbons, dit-il.

— Dis donc, C… C… Claudia – Jeremy s'inséra entre elle, Robin et Peter –, nous devrions vraiment aller à la recherche de S… S… Shirley et son m… m… mari.

— Comme tu veux, mon chéri.

Elle fit un clin d'œil aux deux jeunes hommes.

— À plus tard. Ne lâchez pas.

Ils se regardèrent tous deux, intrigués.

— Drôle de fille, hein ? dit Robin.

— Il le faut, il me semble, pour sortir avec Jeremy, acquiesça Peter.

Ils la regardèrent s'éloigner en se déhanchant.

— J'aimerais bien m'en offrir un morceau, dit Robin.

— Oui, opina Peter.

Claudia repéra Shirley. Elle se dépêcha à aller la trouver.

— Shirley ! Petite cachotière !

Elle se tint solidement devant elle, une main tenant un verre de champagne, l'autre tenant Jeremy.

Shirley ne broncha pas. Elle sourit poliment.

— Claudia, ma chère, quelle surprise ! Je suis tellement heureuse que tu aies pu venir, et Jeremy, mon chou.

Elle monta sur la pointe des pieds et lui posa un baiser mouillé sur la joue.

— Merveilleux de vous voir tous les deux.

— Où est le marié ? demanda Claudia, articulant mal ses mots.

— Il est quelque part, dit Shirley gaiement. J'adore ta coupe, chérie. J'aimerais tellement pouvoir me permettre une coupe aussi sévère.

Claudia sourit.

— Je suis sûre que tu le pourrais.

Jeremy balbutia :

— C'est rudement bien tout ça.

Les deux filles firent la sourde oreille.

— Conrad m'a raconté à quel point vous vous êtes amusés l'autre soir, lui dit Shirley d'une voix mielleuse.

Claudia lui lança un regard perçant.

— Oui, j'ai pensé que tu y serais.

Shirley gloussa doucement.

— Pourquoi y participer quand je peux voir le film.

— Quel film ?

La voix de Claudia s'était durcie.

— Oh, Conrad filme toujours ses soirées.

Shirley lui sourit d'un air triomphant et poursuivit :

— Tu ne le savais pas ? En fait, c'est son passe-temps. Tu devrais passer un soir pour qu'on puisse te le faire visionner.

Claudia la fixa du regard, sentant son estomac se nouer. Elle savait que Shirley ne mentait pas.

— Eh bien, ma chère, poursuivit Shirley, tu avais en effet exprimé le désir de faire partie de son film.

Elle ricana et se tourna pour accueillir un autre invité.

Claudia se tenait là, furieuse et enflammée.

— Fils de pute !

— Dis, ma belle, t... t... tout va bien ? s'enquit Jeremy.

Elle retira son bras.

— Ta gueule, connard.

— Qu'y a-t-il ? crachota-t-il, l'air blessé.

— Rien.

Elle prit la dernière gorgée de son verre et lui mit la coupe vide entre les mains.

— Tu vas m'en chercher encore ?

Elle avait vu Conrad. Il blaguait et riait avec un couple âgé. Elle ondula jusqu'à lui.

— Hé, bonhomme, dit-elle d'une voix forte. Félicitations.

De ses yeux perçants, il la regarda vaguement. Shirley arriva à ses côtés et l'agrippa par le bras comme pour le protéger.

Claudia sourit à Shirley.

— Il baise mal, mais en fait, j'ai entendu dire que toi aussi, alors vous êtes bien agencés.

Le couple âgé échangea des regards et s'éloigna lentement. Jeremy arriva à ce moment-là avec un verre de champagne.

Claudia le prit et le leva à leur santé.

— Santé à deux minables vieux cons !

Des gens autour se tournaient pour regarder la scène.

Conrad se tourna vers elle.

— Fous le camp, salope, lui dit Conrad d'une voix basse et contrôlée.

Claudia sourit.

— Avec plaisir, enfoiré.

Elle saisit Jeremy, tout alarmé, par le bras.

— Viens-t'en ! Quittons cette veillée mortuaire.

Un Jeremy couleur pourpre sortit avec elle.

Arrivée dehors, elle se mit à rire.

— C'était drôle, non ? C'était pas super ?

Jeremy se tenait là, gêné, le visage d'un rouge vif.

— Je d... d... dois dire Claudia, comment as-tu pu...

— Comment ai-je pu quoi ? Ce n'était qu'une petite plaisanterie.

Elle l'entoura soudainement de ses bras et l'embrassa, poussant sa langue entre ses lèvres rigides.

— Viens, retournons chez moi pour une petite partie de plaisir.

Jeremy hésitait à la suivre, souhaitant plutôt retourner à la réception pour s'excuser. Mais Claudia insista.

— Je vais te montrer de quoi ça retourne, mon chou, lui susurra-t-elle à l'oreille. Je vais te faire vivre des choses que tu n'oublieras jamais.

À l'appartement, elle leur prépara deux verres costauds et fit jouer la musique à plein volume.

Jeremy était assis, rigide et incertain de lui-même, pendant qu'elle dansait autour de la pièce, faisant onduler son corps et retirant lentement sa robe.

Elle ne tenait pas vraiment compte de sa présence pendant qu'elle se laissait emporter par la musique. Elle dansa et se caressa les seins et, soudainement, prête pour lui, elle se dirigea vers l'endroit où il était assis et se mit à lui enlever ses vêtements.

Il commença à résister.

— Dis donc, t'es pédé ou quoi ? cria-t-elle.

Il se leva et se précipita vers la porte, courant dans l'escalier, s'échappant comme un lapin apeuré.

Claudia le suivit, lui criant des insultes, mais il ne revint pas. Dans son état d'ivresse, elle n'en revenait pas. C'était la première fois qu'un homme – enfin, peu importe ce qu'il était – la refusait. Il était sûrement gai ; ces types sans menton le sont souvent.

Elle retourna à l'appartement et prit une gorgée de scotch à même la bouteille. Minable pédé ! De quel droit la refusait-il ? Il était probablement incapable de bander. Elle gloussa et, de façon inexplicable, ses yeux se remplirent de larmes. À quoi sa vie rimait-elle ? Où s'en allait-elle ? Il lui semblait très loin le temps où tout ce qu'elle voulait c'était d'être une vedette. Était-ce vraiment trop demander ?

Des larmes coulèrent sur ses joues. Elle monta encore le volume et s'allongea sur le plancher près des haut-parleurs. La musique l'excitait. Elle commença à jouer avec son propre corps – si le petit pédé ne pouvait pas la satisfaire, elle allait devoir s'en charger elle-même.

Avant qu'elle ne puisse accomplir la tâche, elle tomba dans un profond sommeil, ivre, ses ronflements se mêlant à la chanson *I'm a Loser* de John Lennon.

* * *

Lori avait raison ; après le souper, Marvin annonça aussitôt qu'il voulait jouer à des jeux de hasard. Les quatre étaient debout, réunis en cercle devant le restaurant.

— Tu veux venir me porter chance ? demanda Marvin à Lori.

Elle serra son manteau de vison autour d'elle et secoua la tête.

Le gars aux bottes de cowboy, impatient de partir, piétinait.

— Bon, je vais aller jouer une petite partie de dés alors, dit Marvin.

— Je peux raccompagner Lori à l'hôtel, si tu veux, se dépêcha de proposer David.

— C'est très gentil de ta part, répondit Marvin d'une voix grave.

Il embrassa Lori sur la joue.

— Tous mes gains seront pour toi, princesse !

Et après une brève poignée de main à David, lui et le gars aux bottes de cowboy s'en allèrent dans un nuage de fumée de cigare au son de leur accent du Sud. C'était de toute évidence un mari qui faisait confiance à sa femme. Sinon, il s'en foutait éperdument.

Lori rit.

— Ne te l'avais-je pas dit ?

Ils marchèrent jusqu'à la voiture de David.

— Es-tu bien membré ? lui murmura Lori à l'oreille. Je n'aime que les hommes baraqués.

Dans la voiture, elle se comporta comme une chatte en chaleur, s'emparant de lui sans attendre. Il était fier de ce qu'il avait à offrir. Il conduisit rapidement vers l'hôtel.

Lori traversa le vestibule, hautaine et impérieuse, son vison blanc attirant le regard envieux de femmes. Elle s'arrêta et salua un acteur qu'elle connaissait. L'homme jeta un regard amusé vers David.

Sa suite, située au sixième étage, était d'un grand luxe, décorée dans des tons de bleu et argent. Elle jeta nonchalamment son vison sur une chaise.

— Prépare-toi un verre, mon trésor, dit-elle de sa voix traînante. Je vais juste enfiler quelque chose de plus confortable.

Son discours semblait tout droit sorti d'un film de Hollywood ! Il ouvrit une bouteille de champagne mise au frais. Quelle belle vie ! Une femme magnifique dans un environnement de rêve et du champagne, qu'est-ce qu'un homme pouvait demander de plus ?

Elle revint peu après, vêtue d'un kimono transparent, son haut chignon toujours en place. Il lui tendit son verre de champagne dont elle prit une petite gorgée. Elle s'allongea ensuite sur le canapé, un pan du kimono retombant légèrement, révélant des cuisses d'un blanc laiteux.

Il ne se sentait pas tout à fait prêt. Elle allongea les bras vers lui.

— Approche-toi, mon cœur, dit-elle de sa voix traînante.

Il posa son verre et s'approcha d'elle.

— Il y a un peignoir en soie dans la salle de bain, ronronna-t-elle. Pourquoi n'irais-tu pas enfiler quelque chose de plus confortable, toi aussi ?

Il se sentait en effet un peu à l'étroit, et le décor semblait trop parfait pour commencer à répandre ses vêtements partout sur le plancher.

Il l'embrassa sur la bouche, goûtant son rouge à lèvres, et alla dans la salle de bain pour enfiler le peignoir qu'elle avait suggéré. Il était en soie à motif Paisley, probablement à son mari. Il admira sa silhouette masculine dans la glace ; pas mal pour un homme de quarante ans !

Elle l'attendait, étendue de tout son long sur le canapé, comme dans une publicité de *Vogue*. Il la prit dans ses bras.

Elle glissa ses mains à l'intérieur de son peignoir, égratignant son torse avec ses longs ongles telles des griffes.

Il caressa son corps. Elle était très mince et dotée de petits seins durs avec de gros et longs mamelons. Un corps excitant, pas doux et chaleureux comme celui de Linda, ni tout en courbes et aguichant comme celui de Claudia, mais tout de même très sensuel. Comme un serpent blanc tout lisse.

Il ouvrit son kimono. Les jambes de Lori étaient exceptionnellement longues, couronnées au sommet par un petit monticule de poils de couleur blond cendré identique à ses cheveux. David les écarta lentement, faisant passer ses mains dans son dos, enfonçant ses ongles dans sa peau, l'attirant à elle.

Étonnamment, il constata qu'il n'était pas prêt. Pour détourner son attention de ce fait, il se mit à embrasser ses seins.

Elle gémit doucement, enfonçant davantage ses ongles dans son dos. Après quelques minutes, elle commença à s'impatienter et ses mains descendirent vers l'entrejambe de David. Ses yeux étaient fermés, mais s'ouvrirent rapidement lorsqu'elle le sentit.

— Qu'est-ce qui ne va pas, mon chéri ? ronronna-t-elle, sur un ton légèrement caustique. Ce n'est pas tous les jours qu'une chatte de Géorgie s'offre à toi !

— Ce n'est rien ; donne-moi juste une minute, dit-il, mal à l'aise.

Agacée, elle ferma les yeux à nouveau, cette fois-ci en le travaillant avec ses mains.

— Allez, mon chou, le supplia-t-elle, cette petite fente t'attend !

David n'avait aucune réaction physique. Quel cauchemar ; c'était une première pour lui. Il se mit à paniquer, évoquant toutes les images érotiques possibles.

Rien, absolument rien.

Il tenta de se souvenir de la dernière fois qu'il avait baisé. C'était avec la timide mademoiselle Field, son horrible secrétaire. En désespoir de cause, il se mit à se remémorer sa soirée avec elle.

Soudainement, tout se passait bien ; il se sentit gonfler, augmentant de volume de plus en plus.

Lori soupira de plaisir.

— Magnifique, mon chéri.

Elle l'enveloppa de ses longues jambes pâles pendant qu'il commença à la pénétrer vigoureusement, avec force. Il allait lui montrer !

Il s'enfonça en elle à coups de reins forts et brutaux.

Elle hurla de plaisir.

— Oh, oh, oui, comme ça, oh oui, continue, oh, oh, n'arrête pas.

Sa voix changea :

— Pourquoi as-tu arrêté ?

Il ne répondit pas. Il était gêné au plus haut point. Il savait que ce genre de chose pouvait se produire, mais pas à lui.

La colère montait en elle. Sa voix sexy se transforma en cris.

— Quel est ton problème ? On va baiser ou non ? Ce genre d'action, je peux l'avoir avec mon mari !

Il roula hors du lit.

— Je suis désolé.

Furieuse, elle s'assit.

— Tu es désolé ?

Ses seins durs et ses mamelons exotiques pointaient vers lui un regard accusateur.

— Fous le camp. Il faut que je me trouve un vrai homme.

Humilié, il alla à la salle de bain et s'habilla.

Lorsqu'il en sortit, elle était au téléphone à ronronner.

— Bien, mon trésor, dans dix minutes ce sera parfait.

Il quitta la chambre, honteux. Qu'est-ce qui avait bien pu se passer, et pourquoi ? Elle lui plaisait beaucoup pourtant. Ce n'était pas de sa faute à elle. Or, à bien y penser, peut-être que oui. Elle ne cachait pas l'existence de nombreux amants.

David alla au bar et commanda un brandy. Après avoir bien réfléchi, il s'était convaincu que Lori était la grande responsable de cet échec. Sale garce ! Elle l'avait castré en lui faisant penser à tous les autres hommes avec qui elle avait couché. Les femmes étaient toutes pareilles. Elles voulaient te rendre impotent d'une manière ou d'une autre.

Spontanément, il décida de faire une autre tentative. Pas avec Lori, évidemment. Pourquoi pas avec mademoiselle Field ? Elle était tranquille et inoffensive, et étant donné qu'il allait la congédier de toute façon, quel mal y avait-il à la baiser une dernière fois ?

Comme elle ne lui plaisait même pas, s'il réussissait avec elle, cela prouverait que tout allait bien.

Il se souvenait vaguement où elle habitait. Elle devait sûrement être chez elle, alors il prit un autre brandy et partit.

En martelant sa porte, il constata qu'il était raide comme une barre.

Elle sortit de son lit pour répondre, serrant fort sa robe de chambre en laine. Cheveux ternes, visage coincé et joues creusées.

— Monsieur Cooper ! s'exclama-t-elle.

Il entra, la bousculant sur son passage, retira ses vêtements qu'il laissa tomber sur le plancher.

— Déshabille-toi, commanda-t-il.

Détournant son regard, elle lui obéit.

Il la prit sauvagement, clouant son corps chétif au sol.

Rien ne clochait chez lui !

Chapitre 17

Linda n'annula pas la sortie du lendemain matin avec Jay. Il arriva, les emmena dîner, et les enfants furent captivés.

Il leur raconta des histoires, joua avec eux et ensuite ils allèrent au cinéma.

Le soir, il resta chez elle pour un souper d'œufs et de bacon, et Linda se trouva dans l'impossibilité de mettre fin à la relation. Elle relégua aux oubliettes mademoiselle Susan Standish et continua de fréquenter Jay. Elle l'aimait bien, les enfants l'aimaient bien aussi. Surtout Jane. Il était merveilleux avec eux.

Ils passaient désormais tous les dimanches ensemble. Jay pensait toujours à une nouvelle activité à faire, et les enfants avaient très hâte à leur escapade hebdomadaire avec lui. C'était une bonne chose, car David n'avait pas donné de nouvelles depuis sa dernière visite, ce qui mettait Linda dans tous ses états. En ce qui la concernait, elle était ravie de ne pas le voir, mais c'était égoïste et méchant de sa part d'ignorer complètement les enfants. Ils lui demandaient continuellement quand il allait venir, où il était. N'eût été Jay les fins de semaine, elle était convaincue qu'ils auraient été encore plus bouleversés.

— Est-ce que papa ne nous aime plus ? demanda Jane un jour.

— Bien sûr qu'il vous aime, ma chouette, répliqua Linda, la serrant contre elle. Il est très occupé.

— J'aime oncle Jay, dit Jane sur un ton solennel ; il n'est pas trop occupé.

Leur relation s'épanouissait et après quelques semaines de fréquentation, Linda était follement amoureuse de lui. Ils allèrent au théâtre, dans de petits restaurants, de grandes réceptions, au cinéma... En fait, ils passèrent presque chaque soirée ensemble et régulièrement toutes les fins de semaine pendant lesquelles ils allèrent au zoo, au parc, dans des musées et faisaient des balades en campagne.

Il était amusant, attentif, intéressé par tout ce qu'elle faisait, mais il n'avait jamais tenté plus qu'un bref baiser, presque fraternel.

Cela commençait à la rendre folle. Son corps brûlait d'avoir de l'attention. Lorsqu'ils dansaient, il fallait qu'elle se retienne pour ne pas pousser son corps contre le sien de manière plus intime. Lorsqu'ils s'embrassaient, elle attendait avec impatience qu'il aille plus loin. Mais il demeurait un parfait gentleman, ne la touchant jamais.

Elle en arriva à un point où elle décida qu'elle ne pouvait continuer ainsi, et résolut d'aborder le sujet à un moment opportun.

L'occasion se présenta plus vite que prévu. Une fête de fin de tournage avait été organisée au studio. Linda bavardait avec Jay et Bob Jeffries, l'aide-réalisateur, lorsque mademoiselle Standish fit son apparition. Elle portait le même ensemble-pantalon blanc dans lequel Linda l'avait déjà vue. Il lui allait bien, s'agençant bien à sa peau éclatante et sa longue chevelure blonde.

— Jay, mon chéri, murmura-t-elle. Est-ce que je peux te parler ?

Elle avait des yeux malicieux et toujours un petit sourire en coin.

— Qu'y a-t-il, Susan ?

Son ton était agréable.

— En privé.

Jay haussa les épaules devant Linda et Bob, et s'éloigna avec Susan. Linda demanda si elle avait un rôle dans le film.

Bob rit.

— À l'heure actuelle, oui, mais je crois que ses scènes vont aboutir sur le plancher de la salle de montage.

— Oh !

Linda changea rapidement de sujet. Elle ne voulait pas que Bob la croie jalouse.

Jay ne tarda pas à revenir et ne mentionna pas l'incident, mais Linda savait qu'aussitôt qu'ils seraient seuls, elle allait aborder le sujet.

Après la fête, accompagnés de Bob Jeffries et de sa femme, ils allèrent manger chez Annabel's. Il était impossible d'avoir une conversation dans ce restaurant et, pendant le trajet du retour, il y avait toujours l'omniprésent chauffeur.

— Tu es très effacée ce soir, lui dit Jay, avec son ton léger.

Elle hocha la tête.

— Qu'y a-t-il ?

Il semblait préoccupé.

— Je ne veux pas en discuter maintenant, dit-elle, regardant en direction du chauffeur. Entre prendre un café, si tu veux.

Elle ne l'avait jamais invité à la maison à la fin d'une soirée, peut-être qu'elle aurait dû.

Elle le laissa dans le salon et alla dans la cuisine. Maintenant qu'il était là avec elle, comment devait-elle aborder le sujet? C'était si difficile. Il n'y avait pas vraiment de mots pour exprimer comment elle se sentait.

Elle disposa quelques biscuits au chocolat dans une assiette et prépara du café.

Il était assis à lire le journal du soir. Elle était complètement à court de mots lorsqu'elle lui tendit son café.

Il régla son problème en parlant en premier.

— Je dois retourner à Los Angeles dans deux semaines.

— Oh.

Elle se sentit vidée.

Il était hésitant.

— Pourquoi ne viendrais-tu pas avec moi?

— Avec toi?

Pendant quelques secondes agréables, elle envisagea la possibilité avant de revenir à la dure réalité.

— C'est impossible, Jay; je ne peux pas laisser les enfants.

— Emmène-les. Ils s'y plairaient tellement.

Elle secoua la tête.

— Je ne peux pas les sortir de l'école, de toute façon...

Il l'interrompit.

— Linda, je ne suis pas très doué pour ce genre de choses. Je ne l'ai dite qu'à des idiotes auparavant.

Il se leva, visiblement nerveux.

— Linda, je te demande de m'épouser. Je pense que je t'aime, ajouta-t-il rapidement. Tu es la personne la plus merveilleuse, chaleureuse et généreuse qu'il m'ait été donné de rencontrer. Je sais que tu as vécu une expérience difficile, et je sais comment tu te sens, mais, crois-moi, je vais essayer de te rendre heureuse. Je ne suis pas parfait. Je me suis engagé avec de nombreuses têtes de linotte – j'avoue que j'ai un faible pour les grandes blondes –, mais si tu m'épouses, je crois que tout va fonctionner et que nous pourrions profiter pleinement de la vie.

Il fit une pause.

— Qu'en dis-tu ?

— Jay.

Elle murmura son nom.

— Oui, Jay, oui, oui.

Il l'embrassa.

— Marions-nous bientôt, comme demain. Je ne veux plus t'attendre encore bien longtemps.

Elle sentit les larmes lui monter aux yeux.

— Je t'aime.

Il lui caressa les cheveux, et la relâcha.

— Va te coucher. Je t'appellerai à la première heure demain. Je vais tout organiser. Le plus tôt sera le mieux, n'est-ce pas ?

Elle hocha la tête.

— Le plus tôt sera le mieux, murmura-t-elle.

* * *

Claudia passa les jours suivant le mariage de Shirley et Conrad dans une brume éthylique. Elle but une bouteille de scotch par jour, avalant à l'occasion des pilules pour dormir ou des tranquillisants, atteignant un degré d'insouciance totale. Elle ne mangea rien, ne se lava pas, ne s'habilla pas, se contentant d'errer nue dans l'appartement.

Le téléphone sonna, mais elle ne répondit pas. Un jour, la sonnette à la porte retentit avec tant d'insistance qu'elle fut forcée de répondre.

C'était Gilles.

— Bordel !

Il était atterré par son apparence. Il l'enveloppa dans un peignoir et lui fit boire du café noir jusqu'à ce qu'elle réussisse à focaliser le regard et à parler.

— Quelle sorte de voyage as-tu fait ? l'interrogea-t-il.

Elle secoua la tête.

— Je me sens vraiment mal.

— Tu as une mine atroce.

— Quel jour sommes-nous ?

— Doux Jésus, tu avais vraiment l'esprit ailleurs. Nous sommes lundi.

— Lundi. J'imagine que j'ai un peu trop bu.

Il jeta un coup d'œil autour de l'appartement : bouteilles de scotch vides, disques brisés, meubles retournés...

— Je crois bien que oui. Qui était le type ?

Elle haussa les épaules.

— Personne. J'avais juste envie de me doper toute seule. Au fait, que fais-tu là ? Je te croyais en Espagne.

— Je t'apporte de bonnes nouvelles. Tes nichons sont célèbres dans le monde entier.

Il lui montra un exemplaire de *Man at Play*, l'une des revues pour hommes le plus vendues aux États-Unis.

Il l'ouvrit et lui montra la double page centrale. C'était bel et bien elle, en quatre couleurs imprimées, debout sur sa terrasse avec Londres à l'arrière-plan, portant la chemise rose que Gilles avait arrosée d'eau. Ses seins parfaits se tenaient au garde-à-vous, fermes et ronds, les mamelons durcis et pointés.

Il tourna la page. Elle était allongée sur son lit, vêtue d'un kimono noir, les seins presque nus, bouche entrouverte, yeux mi-clos.

Les photos de la page suivante et de la subséquente étaient toutes d'elle. La légende disait « Ravissante mannequin et actrice londonienne, Claudia Parker, nous montre les plus belles attractions de la Grande-Bretagne. »

— Tu fais sensation, lui dit Gilles avec enthousiasme. Ils veulent une nouvelle série de photos. Ils vont nous payer grassement. Ils veulent qu'on prenne l'avion pour New York. Je veux que tu rencontres Edgar J. Pool, le propriétaire du magazine. C'est la chance de ta vie, mon cœur. C'est le succès assuré.

Elle examina le magazine. Pourquoi, oh pourquoi, avait-elle coupé ses cheveux ?

— Nous y allons quand ? demanda-t-elle, son visage s'illuminant.

— Aussitôt qu'on te remet en forme. Tu es toute maigre, et ces cheveux... Il va falloir t'acheter une perruque. Tiens, signe ceci.

Il lui mit un document sous les yeux qu'elle signa sans même le regarder.

— Je vais t'inscrire à une cure de santé pour une semaine. Tu en as vraiment besoin. Je crois qu'on pourra y aller dans une dizaine de jours. Je vais les aviser. Ils sont complètement fous de toi, ils veulent faire de toi la *playmate* de l'année. Ma chouette, toi et moi allons faire une fortune !

* * *

Était-ce le cinquième ou le sixième soir que David passait avec mademoiselle Field ? Il n'arrivait pas à s'en souvenir. Il savait cependant qu'il avait pris l'habitude de quitter le bureau, de manger, de prendre quelques verres et de se présenter à sa porte. Elle exerçait sur lui une sorte de fascination morbide. Qu'est-ce qui rendait l'acte sexuel avec elle si incontrôlable et excitant ? C'était certainement l'expérience la plus érotique qu'il lui avait été donné de vivre. Elle se présentait toujours à la porte serrant fort sa robe de chambre en laine. Il fallait qu'il lui ordonne de se déshabiller. Elle procédait ensuite à se dévêtir avec réticence, révélant un corps maigre, blanc et sous-alimenté. Elle n'avait pas de poitrine et ses mamelons mous ne durcissaient même pas au toucher. Or, lorsqu'il était à l'intérieur d'elle, qu'il la pilonnait, elle avait une emprise d'acier sur lui, l'enserrant et le vidant de son énergie vitale. Elle ne lui accordait aucun repos, le serrant comme un étau.

Il la détestait, mais ne pouvait s'empêcher d'y retourner soir après soir.

Pendant le jour, au bureau, ni l'un ni l'autre ne faisait allusion à ces visites nocturnes. Elle rampait en silence, s'acquittant de ses tâches timidement comme à l'accoutumée.

Il voulait rompre avec cette habitude.

Une plantureuse fille à l'allure provocante prénommée Ginny faisait une publicité pour sa compagnie. Il fit en sorte de se faire présenter ; il la trouva fort séduisante. Elle lui rappelait une Claudia beaucoup plus sexy et plus provocante.

Il l'invita à souper. Elle se présenta vêtue d'une robe rouge flamboyant sans bretelles. Elle avait la peau rose et blanche des Anglaises et des lèvres pulpeuses.

Les choses s'annonçaient bien, se dit-il.

Pendant le souper, elle but des daiquiris givrés et gloussa beaucoup. Ils dansèrent; son corps était chaud et bondissant. Tous les hommes dans le restaurant l'observaient, ce qui faisait du bien à David. À un moment donné, pendant une danse endiablée, l'un de ses seins surgit en entier de sa robe, offrant une vue délicieuse d'un généreux mamelon brun pâle et impertinent. Elle remonta sa robe en riant de manière complètement folle.

David jugeait qu'il était temps de la ramener à sa chambre d'hôtel. Elle résista à peine, et une fois qu'ils furent arrivés à la chambre, lui retirer sa robe rouge avait été un jeu d'enfant.

Elle portait des petites culottes roses à froufrous. Son corps était bien développé. Ses seins rebondissants étaient tellement gros et incroyables qu'il soupçonnait qu'il ne s'agissait pas de seins, mais plutôt d'un nombre incalculable d'injections de silicone réunies à un seul endroit.

Il n'arrivait pas à réagir. Il ne se sentait pas excité.

Souriant sottement, elle prit l'argent que David lui donna pour un taxi qui la ramènerait chez elle. Il se coucha, mais ne réussit pas à trouver le sommeil. Il fut finalement obligé de se lever et de rendre visite à mademoiselle Field. Lorsqu'il arriva chez elle, son degré d'excitation était tel qu'il explosa même avant de la prendre.

Elle avait un étrange pouvoir sur lui.

Il tenta sa chance avec plusieurs autres femmes, mais il obtenait chaque fois le même résultat. Sa vie se mit à tourner autour de Harriet Field.

Il apprit des choses à son sujet. Elle avait trente ans et était à l'emploi de la firme depuis douze ans. Elle avait commencé au service de dactylographie, avait gravi les échelons et était devenue sa secrétaire particulière.

Aucune rumeur ne courait à son sujet. Elle était très réservée. Elle était la personne invisible du bureau.

Lorsqu'il lui rendait visite le soir, ils ne parlaient jamais. Il lui disait simplement quoi faire, peu importe quoi, et elle s'exécutait. Parfois, après leurs ébats, elle lui demandait s'il aimerait du café ou du thé. Il refusait toujours et, aussitôt qu'il trouvait le courage, il se levait et partait.

Il se demandait ce qu'elle pensait de cela. Pourquoi ne disait-elle jamais rien ? La situation était contre nature.

Ce soir-là, il arriva plus tôt qu'à l'habitude. Elle serrait toujours son petit cardigan autour de sa poitrine inexistante. Elle se mit automatiquement à enlever ses vêtements.

C'était la première fois qu'il la voyait retirer ses vêtements. En temps normal, elle ne portait qu'une chemise de nuit et une robe de chambre.

Il y avait de nombreuses couches : une jupe, un cardigan, un chandail, une veste (le vêtement le plus laid qu'il lui avait été donné de voir), un soutien-gorge couleur saumon, un jupon, de longs caleçons en laine et des bas épais. Légèrement chevrotante, elle se tint devant lui.

Il n'y avait pas à dire, elle était libidineuse, se dit-il, toujours avide, toujours prête à passer à l'action. Elle était probablement frustrée depuis des années.

Peut-être qu'il devrait la faire attendre ce soir. Elle était déjà allongée sur le sol, ouvrant ses jambes pâles et flasques.

Il ne pouvait pas la laisser patienter. Le désir brûlant qu'il ressentait ne le lui permettait pas. Il se débarrassa de ses vêtements à toute vitesse et s'accroupit sur elle.

Elle poussa un profond soupir et c'était parti. Par la suite, elle enfila sa robe de chambre et se mit à organiser ses vêtements, les empilant soigneusement, pour qu'il puisse les enfiler facilement.

Il resta allongé et l'observa. Elle était vraiment sans éclat. Ce n'était pas qu'elle s'arrangeait mal, c'est qu'il n'y avait rien à faire pour l'améliorer.

Elle remarqua qu'il la regardait et rougit.

— Du thé ou du café, monsieur Cooper ?

— Les deux, dit-il brusquement.

Elle se dirigea vers la cuisine. Il avait l'impression qu'elle lui apporterait les deux s'il ne l'arrêtait pas.

— Assieds-toi, dit-il.

Elle s'assit avec hésitation, croisant les jambes à la cheville, joignant les mains sur ses genoux.

— Je veux te parler, dit-il.

Ils demeurèrent silencieux. Après lui avoir dit qu'il voulait lui parler, il réalisa soudainement qu'il n'avait pas envie de lui parler après tout, qu'il ne voulait que s'en aller.

— Ça n'a pas d'importance, dit-il brusquement.

— Y a-t-il quelque chose qui ne va pas, monsieur Cooper ?

— Pour l'amour du ciel, arrête de m'appeler monsieur Cooper.

Elle baissa les yeux.

— D'accord, David, chéri.

Doux Jésus, elle se comportait comme une vestale. Elle devint timorée et renfermée.

Il se leva, songeant aux décisions qu'il venait de prendre. Il la congédierait lundi, et cette visite était sa toute dernière.

Peut-être qu'il devrait se la farcir une dernière fois étant donné qu'il s'agissait de leur ultime rencontre.

— Étends-toi sur la table, dit-il d'un ton las.

* * *

Linda et Jay se marièrent une semaine plus tard au bureau d'enregistrement de Hampstead, discrètement, sans fla-fla.

Les parents de Linda étaient présents, étonnés, mais heureux. Les enfants, portant leurs plus beaux vêtements, étaient étrangement tranquilles. Quelques amis de Jay ainsi que des amis de Linda participèrent à la cérémonie.

Par la suite, tout le monde se rendit à la suite de Jay à l'hôtel pour y manger du gâteau de noces et boire du champagne. L'événement était très modeste, plutôt informel !

Peu après, les parents annoncèrent qu'il était temps qu'ils reprennent la route vers la campagne. Ils rassemblèrent les enfants, qui allaient demeurer avec eux, et se dirent au revoir.

Linda serra Jane et Stephen contre son cœur.

— Maman ne sera pas partie très longtemps. Ensuite, nous allons tous aller vivre ensemble en Amérique dans une belle grande maison avec une piscine.

— Wow ! Une piscine ! s'exclama Stephen, ravi.

Jane était au bord des larmes. On voyait sur son visage innocent et joufflu qu'elle était inquiète et préoccupée.

— J'espère que l'avion ne s'écrasera pas, maman.

Linda rit et la serra contre elle.

— Mais non, ne t'inquiète pas, mon poussin.

Jay prit Jane dans ses bras et lui donna un bisou.

— Sois gentille, et maman reviendra en un rien de temps.

Jane le regarda avec ses grands yeux bruns.

— Es-tu mon nouveau papa ?

Il hocha la tête solennellement. Jane lui donna un bec et détala vers les grands-parents. Les autres invités quittèrent la réception peu après et ils se retrouvèrent seuls.

Linda retira son chapeau et soupira.

— Je déteste laisser les enfants.

Jay s'esclaffa.

— Ce n'est que pour deux semaines. Ça ne t'ennuie pas que je passe un peu de temps seul avec ma femme ?

— Non, ça ne m'ennuie pas.

Elle lui sourit.

— Je t'aime.

Ils avaient reçu de nombreux télégrammes, dont un de Conrad et Shirley Lee, en lune de miel au Mexique : « Félicitations ! Les épouses anglaises sont les meilleures. Elles sont raisonnables lorsqu'il s'agit de pension alimentaire. Cordialement, Conrad et Shirley. »

Un autre, sarcastique, de la fille de quinze ans de Jay : « Meilleurs vœux à toi et ta quatrième femme. Caroline. »

— C'est une gamine un peu effrontée, dit-il d'un air mécontent.

— Pourquoi dis-tu ça ? lui demanda Linda.

— Je ne sais pas.

Il haussa les épaules.

— C'est de ma faute, en fait. C'est une dure à cuire ; elle tient de sa mère. Je n'ai jamais passé de temps avec elle, et comme Jenny ne s'est pas remariée, je crois qu'elle a souffert de l'absence d'un père.

— J'aimerais bien la rencontrer, lui dit Linda calmement. Peut-être que lorsque nous serons installés elle pourrait venir habiter avec nous pendant quelque temps.

— N'y pense même pas, dit-il en riant. Sa mère ne lui permettrait jamais. De toute façon, elle n'est plus une enfant ; il est trop tard pour moi d'entrer dans sa vie.

— Elle n'est qu'une adolescente ; je crois qu'on devrait essayer.

Il l'embrassa.

— C'est gentil de ta part.

Elle sourit et changea de sujet.

— J'espère que j'ai apporté les vêtements appropriés pour la Jamaïque. Tout s'est passé si rapidement.

— Le regrettes-tu ?

— Le regretter ? Ne sois pas ridicule. Bien sûr que non.

— Mangeons à la chambre. La voiture va passer nous chercher à six heures. Nous devrions nous coucher tôt.

— Quelle idée géniale !

Elle bâilla.

— Je vais maintenant prendre un bain.

— Laisse-moi faire. Je vais te commander quelque chose de spécial.

Elle alla dans la salle de bain. Ses deux valises et son coffret à maquillage étaient empilés soigneusement sur le porte-bagages.

Elle espérait qu'elle ne décevrait pas Jay. Il était tellement habitué à de très belles femmes. Elle pensa à l'élégante et glaciale Lori.

Elle se dépêcha à prendre son bain, et déballa un long déshabillé en soie bleu avec son peignoir assorti.

L'ensemble lui allait à merveille. Le décolleté plongeait entre ses seins lourds et épousait ses courbes jusqu'au plancher. Elle passa une brosse dans ses cheveux acajou ; ils avaient allongé et frôlaient maintenant ses épaules. Son corps et son visage étaient loin d'être parfaits, mais c'était une femme à la fois séduisante et d'un charme sensuel.

Jay avait commandé plus de champagne, un délicieux repas de poisson et de fines lamelles de blanc de poulet dans une sauce aux champignons crémeuse sur un lit de riz. Comme dessert, des fraises Romanoff et une généreuse quantité de Courvoisier.

Après le repas, Linda se croyait au septième ciel. Jay faisait en sorte que tout soit parfait. Dans la chambre, il la déshabilla lentement et lui fit l'amour admirablement, sans frénésie, sans se hâter. Il caressa son corps comme s'il n'y avait rien de plus important dans le monde. Il l'emmena au bord de l'extase et la ramena, la faisant planer, sûr de chacun de ses gestes.

Elle flottait entre deux eaux, complètement captive des mains et du corps de Jay.

Il avait un contrôle phénoménal, arrêtant juste au bon instant. Lorsque le moment arriva, c'est parce qu'il le voulait. Ils atteignirent ensemble l'orgasme, à l'unisson. Elle n'avait jamais vécu rien de tel. Elle se colla contre lui en lui disant à quel point elle l'aimait.

Après, ils restèrent allongés et parlèrent.

— Tu es merveilleuse, dit-il. Tu es rusée de m'avoir fait attendre jusqu'à notre mariage.

— Pardon ?

Elle se blottit davantage contre lui.

— Je te désirais tellement. Mais je savais que si je posais le mauvais geste, je passerais simplement pour un homme en manque. J'ai couché avec Lori la première fois que je l'ai vue. Elle était entrée pour passer une entrevue, nous avons verrouillé la porte et baisé sur-le-champ. Peux-tu t'imaginer épouser une fille que tu as sautée dès ta première rencontre ? C'est le genre d'imbécile que j'étais avant que je fasse ta rencontre et que je réalise ce qu'une vraie relation pouvait être.

Elle l'embrassa.

— Tu ne craignais pas que ça ne clique pas au lit, toi et moi ? Pourquoi n'as-tu pas essayé plus tôt ?

— Parce que je n'aurais pas supporté un refus.

— Je n'aurais peut-être pas refusé.

Il acquiesça.

— En effet, mais tu n'es pas le type de femmes à avoir une aventure. Tu l'aurais regretté et, dans ta tête, je serais devenu le méchant.

— Oh.

Elle était étonnée de constater à quel point il la connaissait. Il avait probablement raison.

— Et Susan Standish ? demanda-t-elle sur un ton accusateur.

— Je suis un homme, Linda, dit-il simplement. Ne me demande pas d'inventer des excuses. C'était une gentille fille et je ne pouvais pas être avec toi.

Ses yeux se fermaient.

— Je t'aime, mon mari, murmura-t-elle, puis elle s'endormit aussitôt.

* * *

Le centre de remise en forme n'était pas si mal. C'était l'endroit idéal pour se détendre, réfléchir et faire le point. Claudia confia son corps aux experts et, en quelques jours, son apparence physique était redevenue normale.

Elle passa ses journées à alterner entre massage et thérapie, se faisant bronzer près de la luxueuse piscine du centre. Le soleil hâtif de l'Angleterre était faible, mais reposant. Elle rêvassa beaucoup, s'imaginant une vedette, une réussite. C'était tout ce qu'elle voulait de la vie.

Gilles lui rendit visite.

— Tu es resplendissante ! dit-il avec enthousiasme. Tu es redevenue la fille que je connaissais jadis.

Le magazine avait communiqué avec lui et attendait une réponse avec impatience.

— Tu as fait grande impression sur quelqu'un là-bas, dit-il gaiement. Ils ont hâte ! Ils planifient des promotions pour toi partout. Ils veulent braquer les projecteurs sur toi, ma jolie.

Elle était ravie. Peut-être que c'était l'occasion qu'elle attendait.

Elle ne tarda pas à être prête à quitter l'endroit. Gilles la ramena à son studio de Chelsea.

— J'ai déménagé toutes tes choses du *penthouse*, lui dit-il. Ce n'est pas un bon endroit pour toi. Tu resteras avec moi jusqu'à notre départ.

Elle était contente. Gilles prenait soin d'elle et elle aimait cela.

Ils dormirent dans un immense lit comme frère et sœur, et pendant le jour, Gilles l'emmenait magasiner pour de nouveaux vêtements. Elle acheta une superbe perruque blond cendré lustrée pour couvrir ses cheveux très courts pendant qu'ils repoussaient.

Il paya pour tout.

— C'est un investissement, lui dit-il nonchalamment.

Finalement, il décida qu'ils étaient prêts à partir; il télégraphia au magazine pour annoncer leur arrivée imminente.

Il reçut une longue réponse dans laquelle il était précisé que les billets lui avaient déjà été envoyés. Et cette note: « Soyez prêts; grand accueil pour future *Miss Playmate*. Tous les médias avisés. Réception prévue pour votre arrivée. »

Claudia était ravie. New York l'attendait.

* * *

C'était simplement trop bon. David n'arrivait pas à rompre avec Harriet Field. Il lui était absolument impossible d'avoir une érection avec une autre femme.

Il essaya religieusement, allant aussi loin que d'emmener une fille à un film porno, dans l'espoir que cela l'exciterait suffisamment. Il en résulta que la fille devint si excitée que, lorsqu'elle constata qu'il ne pouvait la satisfaire, elle se mit à lui crier toutes les pires insultes qui lui venaient à l'esprit.

Il se dit que s'il réussissait à baiser avec quelqu'un d'autre que Harriet Field, le mauvais sort serait brisé. Mais cela demeura un tour de force, alors que le sexe avec Harriet ne cessait de s'améliorer.

Il prit l'habitude de passer la nuit à son appartement parce qu'il constatait qu'il avait aussi besoin de se l'offrir le matin.

Il devint de plus en plus blême et insipide à voir. Petit à petit, elle semblait le drainer de ses forces.

Il se réveillait dans son appartement exigu, de mauvaise humeur et mal à son aise. Il devenait évident que s'il allait poursuivre cette relation, il aurait à prendre d'autres dispositions relativement à son logement. Il ne voulait pas l'installer dans un appartement, mais cela semblait être la seule solution.

Elle ne lui disait jamais rien lorsqu'ils n'étaient pas en train de baiser. Elle gardait ses distances.

Habituellement, il l'emmenait au bureau en voiture, la déposant à quelques rues de celui-ci. Elle prenait place dans le siège du passager timidement et en silence.

Il la détestait, mais ne pouvait la laisser. Ce désir animal et fou pour cette affreuse créature allait-il un jour s'éteindre ?

Il n'avait pas vu ses enfants depuis longtemps, trop longtemps. D'une certaine façon, il avait honte de leur faire face.

Sa vie était devenue un cycle ininterrompu de travail auquel il se consacrait corps et âme. Et de sexe avec Harriet. Il était amaigri et épuisé.

Il faut que cela cesse bientôt, raisonna-t-il. Je vais continuer jusqu'à plus soif et le tour sera joué.

Il ignora tout le reste et se concentra à sortir Harriet de son système. Cela impliquait de coucher avec elle à chaque occasion qui se présentait, désormais, même au bureau. Il verrouillait la porte et la prenait rapidement sur le sol ou en travers de son bureau. Cela n'aidait pas les choses. Au contraire, cela les rendait plus excitantes.

Il continua de faire des efforts, déterminé à mettre fin à la liaison.

* * *

À l'aéroport de Londres, Claudia fut assaillie par des photographes.

— Regarde ici.

— Ici, Claudia.

— Soulève ta jupe, ma chère.

— Montre-nous un peu de jambe.

Claudia se prêta au jeu. Elle portait une minijupe assortie d'un manteau et d'un chandail moulant en soie.

Gilles observait la scène. Il savait qu'il avait fait une bonne affaire en lui faisant signer le contrat de gestion. Il possédait désormais cinquante pour cent d'elle, et il avait le pressentiment que cinquante pour cent allaient représenter énormément d'argent.

Les Américains étaient sur le point de découvrir un nouveau *sex-symbol*. Elle allait les séduire tous. En Angleterre, elle n'était qu'une petite starlette parmi tant d'autres. En Amérique, elle avait le potentiel de devenir une grande vedette. Gilles en était convaincu. Grâce au bon type de visibilité et de publicité, l'affaire était dans le sac.

Bien sûr, il aurait à la surveiller de près, veiller à ce qu'elle ne boive pas trop, qu'elle ne couche pas avec n'importe qui...

Elle offrit un sourire sexy aux photographes, la tête renversée vers l'arrière, les lèvres mi-ouvertes, ses yeux verts en amande pétillants. Elle s'épanouissait davantage sous les feux de la rampe. Sa poitrine s'efforçait d'échapper aux contraintes de son chandail, ses jambes étaient longues et bien galbées.

— Viens, ma chérie ; il ne faudrait pas rater notre vol, lui dit finalement Gilles.

Elle donna aux photographes une dernière pose provocatrice, prit la main de Gilles, la serrant fort entre les siennes.

— Je m'amuse comme une folle ! s'exclama-t-elle. J'adore, mon chou, j'adore !

* * *

À l'autre bout de l'aéroport, Linda et Jay sirotaient un café dans le salon VIP. Celui de Jay contenait une bonne mesure de whisky. Il détestait prendre l'avion et la seule façon qu'il avait trouvée de monter à bord était de se saouler un peu.

Linda admirait sa bague de mariage, un jonc étroit de diamants parfaits. Elle arrivait mal à croire à quel point elle aimait cet homme. Après David, l'idée de ramasser les pots cassés et de repartir à zéro lui semblait impossible. Maintenant, les dix années avec David semblaient n'avoir jamais existé.

Jay prit sa main dans les siennes.

— Tu es magnifique aujourd'hui.

Elle sourit.

— Merci.

Un agent arriva et leur dit qu'il était temps de monter à bord. Un photographe les arrêta dans le couloir.

— Serait-il possible de prendre une photo, monsieur Grossman ?

— Bien sûr.

Jay sourit de façon amicale et mit son bras autour de Linda. Elle était surprise.

— Pourquoi veulent-ils une photo de toi ? murmura-t-elle.

— C'est le studio qui organise ça habituellement. Une autre publicité pour le film.

— Oh.

Elle hocha la tête sagement.

Ils prirent place confortablement dans l'avion, Jay prenant furtivement de petites gorgées de son flasque en argent. Les gros moteurs se mirent à rugir, et l'avion avança lentement sur la piste.

* * *

Un matin, David se réveilla d'humeur particulièrement massacrante. Il avait mal à la tête, et la pièce sentait leurs ébats de l'avant-veille. Harriet ne semblait jamais ouvrir les fenêtres. Il l'attira vers elle aussitôt, ses sensations physiques prenant le dessus sur tout le reste.

Après s'être satisfait, il se sentait encore pire.

Elle lui prépara un café et lui donna le journal du matin. Il fuma une cigarette et jeta un coup d'œil au journal. Claudia se trouvait à la une. Elle faisait face à la caméra, légèrement de biais, sa poitrine bombée, les cheveux longs et en bataille, avec un sourire complice. Elle était magnifique avec ses jambes galbées sous une minijupe.

« La splendide mannequin et actrice Claudia Parker, âgée de vingt-et-un ans, s'envole vers New York aujourd'hui. Mademoiselle prévoit discuter de projets de film. Elle voyage avec Gilles Taylor, le célèbre photographe de mode et de la vie mondaine. Les deux nient former un couple. »

David était furieux qu'elle ait si bonne mine et semble respirer le bonheur. Lorsqu'il l'avait laissée, il s'était imaginé qu'elle tomberait en morceaux, qu'elle disparaîtrait de sa vie. Mais elle était là, à la une du journal, sur son départ vers l'Amérique sans, apparemment, un seul souci.

Salope ! Elle avait détruit son mariage.

Il tourna la page furieusement. Pourquoi n'était-elle pas disparue dans la brume ?

Là, sur la page suivante, se trouvait une petite photo de Linda avec un homme. Elle avait l'air calme et souriait. L'homme tenait son bras d'une main protectrice.

« Monsieur Jay Grossman, le réalisateur bien connu de Hollywood, et la nouvelle madame Grossman en chemin vers leur lune de miel en Jamaïque. Monsieur Grossman vient tout juste de terminer la réalisation de *Besheba,* dont le tournage a eu lieu ici et en Israël. »

Madame Grossman... Mais c'était impossible. Comment osait-elle ! Il étudia attentivement la photo, cherchant des signes d'insatisfaction sur son visage, mais il n'y en avait aucun. Elle était sereine, confiante et très séduisante.

Comment avait-elle pu faire une telle chose sans lui dire ?

Puis il se souvint : la semaine dernière, elle lui avait laissé trois messages au bureau, lui demandant de la rappeler, et il ne s'était même pas donné la peine de le faire.

Merde ! Il échappa un juron, furieux. Il s'était toujours imaginé que Linda serait libre le jour où il déciderait de vivre une vie rangée. Elle l'aurait repris. Harriet Field l'avait empêché de planifier sa réconciliation avec Linda. Il s'était laissé aller à vivre cette sordide liaison et tout le reste avait été négligé. Il n'avait même pas pensé à voir ses enfants.

Il se sentait emprisonné. Que pouvait-il faire ? Linda n'était pas là pour le sauver. Le temps était venu de prendre la poudre d'escampette. Il cherchait désespérément les paroles d'une chanson pour enfants – *Cours lapin, cours lapin, cours, cours, cours* – qu'il répéta dans sa tête sans cesse.

Un bruit de vomissements provenait de la salle de bain. Peu après, Harriet arriva dans la pièce. Elle n'était pas encore habillée, ce qui était inhabituel pour elle, mais elle serrait sa robe de chambre délavée en laine.

Elle se tenait devant lui, blême et misérable.

— Je suis enceinte, annonça-t-elle sans émotion.

Il la fixa du regard, paniqué. Et lentement, il se rendit compte qu'il était trop tard pour courir, la trappe venait de se refermer…

EXTRAIT DE

Amants infidèles

DE JACKIE COLLINS

1

De nos jours, à Los Angeles

Cameron Paradise entra chez Bounce, un club sportif privé réservé aux membres, au pas de course. Littéralement.

— Bonjour ! lança-t-elle, hors d'haleine, à Lynda, la jolie Latino-Américaine perchée derrière le bureau de réception en rotin blanc. Est-ce que je suis en retard ? Mon client de huit heures est-il arrivé ?

— Évidemment ! répondit Lynda en écarquillant exagérément ses yeux bruns expressifs. Ce vieux cochon est prêt et ne se gêne pas pour dire des obscénités. Comme d'habitude !

— Bon, soupira Cameron en repoussant une mèche naturellement blonde de ses yeux. Quelqu'un pourrait me dire pourquoi il arrive toujours si tôt ?

— Parce que ça lui donne le temps de répéter ses propos dégoûtants, répliqua Lynda d'un air entendu. De plus, tu sais bien qu'il t'aaaaaime !

— Merci beaucoup, murmura Cameron en faisant la grimace.

— Ce type ne parle que de sexe, de sexe et encore de sexe ! gémit Lynda. Je ne sais pas comment tu peux le supporter.

— Je le supporte, riposta Cameron patiemment, parce qu'il paie bien et que j'aurai bientôt économisé assez d'argent pour ouvrir mon propre gym. À ce moment-là, tu viendras travailler pour moi. Et tout client qui nous dira des grossièretés sera mis à la porte. Qu'en dis-tu ?

— Tu fais mieux de te dépêcher avant que je lui flanque une claque sur sa gueule répugnante une fois pour toutes ! dit Lynda en prenant sa lime à ongles.

— Allons, dit Cameron. Tu sais bien que la violence n'est pas une option.

— Hum..., dit Lynda en tripotant un de ses gros anneaux dorés. Si mon petit ami Carlos entendait les trucs que ce vieux pervers me dit, il lui casserait ses deux jambes maigrichonnes !

— Fais comme moi, ignore-le ! déclara Cameron en étirant les bras au-dessus de sa tête.

— J'essaie, protesta Lynda, mais tu sais bien que c'est impossible !

— Rien n'est impossible, répliqua Cameron en se dirigeant vers le vestiaire des employés.

— Peut-être pour toi ! cria Lynda.

Cameron était une femme d'un mètre soixante-treize à la beauté frappante et au style sportif décontracté. Elle avait un corps svelte et ferme, une peau impeccable, des pommettes hautes et des cheveux châtain clair coupés court et hérissés, avec une longue frange retombant d'un air aguichant sur ses yeux verts.

Elle travaillait chez Bounce depuis près de trois ans, depuis qu'elle avait quitté Hawaï et sa relation abusive avec son mari australien, Gregg. Bounce était l'endroit idéal ; elle payait un loyer au propriétaire pour l'utilisation des lieux, ainsi qu'une commission sur chacun des clients qu'elle y amenait. Tout le reste allait directement dans ses poches.

Elle pouvait donc fixer les prix qu'elle souhaitait, et ne s'en privait pas.

Âgée de vingt et un ans à son arrivée à L.A., elle aurait facilement pu devenir actrice ou mannequin grâce à sa beauté exceptionnelle. Mais ce genre de carrière n'était pas pour elle. Elle cherchait quelque chose de plus substantiel, et quel meilleur objectif que d'ouvrir un jour son propre centre sportif?

Comme tout le monde à L.A. semblait obsédé par son apparence, c'était un domaine qu'elle pouvait sûrement exploiter. Elle en savait suffisamment sur la santé et la mise en forme; Gregg lui aurait au moins appris quelque chose! Et le plus beau, c'est qu'elle était assez intelligente pour savoir qu'elle atteindrait son but en travaillant sans relâche et en ne se laissant pas embarquer dans le tourbillon des drogues récréatives, des boîtes de nuit et des soirées interminables.

— Hé, beauté!

Dorian, un entraîneur aux muscles découpés, à la crinière filasse de style Fabio et aux tatouages voyants, l'interpella au moment où elle enfilait une camisole propre.

— Ton vieux bonhomme s'impatiente. Il marmonne des obscénités dans sa barbe!

— Oh, mon Dieu! s'exclama Cameron. Quel connard, ce type!

— Il a besoin de se faire clouer le bec, ajouta Dorian. Littéralement!

— Je le ferais bien, rétorqua Cameron en se hâtant vers la salle d'exercice, mais je pense qu'il aimerait trop ça!

— Elle a tellement raison, dit Dorian en rejetant sa précieuse crinière en arrière.

En effet, son pire client, monsieur Lord, l'attendait. Une silhouette bizarre vêtue d'un short de vélo rouge et noir gonflé par ce qui ne pouvait être décrit que comme un faux pénis; un t-shirt de la tournée de 1965 du Rat Pack;

et un postiche brun sale perché de travers sur le dessus de sa tête. Il était l'auteur de biographies médiocres, truffées d'informations issues d'articles de journaux inexacts et dépassés. Les célébrités dont il parlait le considéraient comme un paumé pathétique incapable d'écrire une phrase acceptable, mais il continuait sans se laisser décourager.

Il lui jeta un regard désapprobateur en tapotant le cadran de sa fausse Rolex dorée.

— Tu es en retard, grommela-t-il. Si je n'avais pas aussi envie de te sauter, je me trouverais une autre entraîneuse.

Quel salaud ! pensa-t-elle en arborant un sourire radieux. Elle avait bien envie de laisser tomber ce client, mais en ce moment, elle avait besoin de tout l'argent qu'elle pouvait gagner. Elle lui demandait donc le double de son taux horaire habituel et serrait les dents en essayant de ne pas écouter ses propos obscènes.

— Je suis désolée, dit-elle en détournant les yeux du renflement de son short de vélo. Commençons ! Comme vous le répétez toujours, il n'y a pas de temps à perdre, n'est-ce pas ?

— Tu as besoin d'un homme, déclara monsieur Lord en fixant sa poitrine des yeux. Et je ne parle pas d'un petit jeune. Un vrai homme qui saura comment te lécher la chatte et tripoter ton...

Cameron tenta de l'ignorer pendant qu'il pontifiait sur les plaisirs du sexe oral, domaine dont il était – selon lui – le maître absolu. La seule idée de monsieur Lord en train de pratiquer le cunnilingus sur quiconque était tout à fait répugnante.

Ses pensées revinrent à Gregg, comme cela lui arrivait souvent, et les souvenirs qui remontèrent étaient toujours douloureux.

* * *

Sa rencontre avec Gregg avait eu lieu en Australie, le pays natal du jeune homme, qu'elle parcourait sac au dos à l'âge de dix-neuf ans. Elle avait quitté sa maison de Chicago un an plus tôt, peu de temps après avoir enterré sa mère, qui avait succombé à un cancer. Son père avait disparu depuis longtemps, et comme elle ne pouvait supporter son beau-père, elle avait décidé de partir. L'année avant de fréquenter Gregg, elle avait donné libre cours à son envie de voyager, explorant l'Asie avec Katie, une copine d'école. Les deux amies avaient séjourné dans des auberges de jeunesse et des communes de plage, travaillant à temps partiel comme serveuses et gardiennes d'enfants, jusqu'à ce qu'elles décident d'être plus aventureuses et de se rendre en Australie. Mettant leur argent en commun, elles avaient acheté des billets d'avion à bas prix pour Sydney. À partir de là, elles avaient mis le cap sur la Grande Barrière de corail.

Quelques jours plus tard, Cameron avait croisé Gregg à une fête sur la plage. Ce fut un coup de foudre immédiat. À vingt-cinq ans, ce gaillard musclé d'un mètre quatre-vingt-dix était une vedette du monde du surf.

Étonnamment, à dix-neuf ans, elle était encore vierge. Gregg entreprit de la séduire, abandonnant bientôt les multiples petites amies qu'il fréquentait alors. Il l'invita rapidement à s'installer dans sa maison délabrée sur la plage. La jeune fille accepta à la condition que Katie vienne avec elle, spécifiant que son emménagement ne signifiait pas qu'elle coucherait avec lui.

C'était faire preuve de naïveté... Gregg n'était pas du genre à tolérer un refus.

La première fois qu'ils firent l'amour ne fut pas une grande réussite. Elle était timide et impressionnée, trop avide de plaire. Mais la fois suivante fut explosive.

Après quelques mois, Gregg reçut une offre d'emploi très bien rémunéré dans l'un des grands hôtels de luxe de Maui. Comme cette proposition était trop alléchante pour pouvoir être refusée, ils s'envolèrent pour Hawaï en faisant toutes sortes de projets d'avenir. Six semaines plus tard, ils se marièrent sur la plage au soleil couchant. Cameron était véritablement heureuse pour la première fois de sa vie.

Tout le monde les considérait comme le couple idéal, tous les deux bronzés, grands, blonds, beaux et si amoureux l'un de l'autre.

Durant deux ans, leur vie fut pratiquement parfaite, jusqu'au jour où, après un accident de surf qui l'obligea à suspendre ses activités pendant plusieurs mois, Gregg commença à changer. Ce champion à l'humeur radieuse se transforma en ermite méchant et malheureux qui semblait prendre plaisir à lui lancer des bordées d'injures.

Au début, elle était trop surprise pour réagir, mais après une suite d'invectives et d'attaques verbales fielleuses, elle décida de répliquer. Ce qui ne plut pas à Gregg, lequel devint bientôt violent. Cela fit comprendre à Cameron que la situation, désormais incontrôlable, allait vite lui échapper. Sa mère avait été victime d'une relation abusive avec son beau-père, et au fil des ans, Cameron avait vu cette femme extravertie et pleine de vie se transformer en loque effrayée et tremblante. La jeune fille s'était juré de ne jamais subir le même sort. Par conséquent, elle avait beau toujours éprouver de l'affection pour Gregg, elle n'en prit pas moins la décision de partir.

Elle planifia soigneusement sa fuite, mais avant d'avoir pu mettre son projet à exécution, elle découvrit qu'elle était enceinte. C'était toute une surprise, et après le choc initial, elle se dit qu'elle pouvait peut-être tourner cela à son avantage. Naïvement, elle se convainquit qu'avoir un bébé changerait tout. Persuadée d'agir pour le mieux, elle décida d'accorder une dernière chance à Gregg.

Ce fut une erreur fatale. Sept semaines plus tard, au milieu d'une de ses crises, il la jeta par terre et lui donna des coups de pied répétés dans le ventre. Après quelques heures de douleurs atroces, elle perdit son bébé.

Dès lors, elle n'eut plus aucun doute. Elle devait s'enfuir.

Quelques jours plus tard, toujours endolorie et couverte d'ecchymoses, elle tenta de partir au milieu de la nuit, pendant qu'il dormait, ne prenant qu'un petit sac, son passeport et l'argent qu'elle avait économisé en enseignant le surf à des enfants.

Malheureusement, Gregg se réveilla et se déchaîna en s'apercevant qu'elle voulait le quitter. Dans un élan de force brutale, il la renversa et la plaqua au sol en hurlant, l'accusant de la perte de leur enfant et de tout ce qui n'allait pas dans sa vie. Puis il la battit avec tant de violence qu'elle se retrouva avec les deux yeux au beurre noir, un bras cassé et une plaie profonde sur le front.

Il semblait résolu à la tuer.

Sans trop savoir comment, elle s'empara d'une lampe sur une table et la lui brisa sur la tête. Le coup le rendit sans connaissance. Elle quitta la maison sans se retourner.

Une fois à l'aéroport, elle réserva une place dans le premier vol en direction de San Francisco. Son ancienne complice de voyage y vivait avec Jinx, un musicien de rock misérable. Katie et lui l'accueillirent à son arrivée à San Francisco et prirent soin d'elle, en veillant à ce qu'elle reçoive des soins médicaux.

Elle demeura chez eux plusieurs semaines, le temps de se remettre de son épreuve. Mais aussitôt qu'on enleva le plâtre de son bras, elle décida de prendre le train pour L.A., où elle était déterminée à oublier le passé et à se forger une vie meilleure.

C'était possible. Tout était possible. Même si elle savait qu'un jour, il faudrait bien qu'elle fasse quelque chose à propos de Gregg. Il n'était pas question qu'elle demeure mariée à cet homme. Toutefois, elle n'était pas encore prête à retourner à Hawaï pour divorcer. Elle irait seulement quand elle se serait établie. Quand elle aurait assez d'assurance pour l'affronter et lui dire qu'il était un lâche et un salaud de la pire espèce.

* * *

Monsieur Lord n'aimait pas sentir qu'il n'avait pas toute son attention.

— À quoi penses-tu ? demanda-t-il, en sueur, tout en exécutant une série d'exercices pour les bras.

— Rien qui puisse vous intéresser, rétorqua-t-elle d'un air vague.

— Ah, mais tout ce qui te concerne m'intéresse, dit l'homme avec un large sourire lubrique. Tes seins magnifiques, ton beau petit cul, ton...

— Un peu de retenue, l'interrompit-elle avant qu'il puisse en dire davantage. Franchement, je ne suis pas d'humeur à écouter vos propos machos aujourd'hui. Alors, la ferme.

— Macho ? Moi ? s'insurgea monsieur Lord en ajustant son short rembourré. J'adore les femmes. Je les vénère. J'adore leur chatte mouillée...

Une fois de plus, Cameron l'ignora. Il avait une grande gueule, mais au fond, elle était convaincue qu'il était juste un vieux cochon incapable de bander. Ce qui était plutôt triste, non ?